A nação precisa acordar

FÓSFORO

MARY E. JONES PARRISH

A nação precisa acordar

Meu testemunho do Massacre
Racial de Tulsa em 1921

Prefácio
JOHN HOPE FRANKLIN

Apresentação
JOHN HOPE FRANKLIN E SCOTT ELLSWORTH

Posfácio
ANNELIESE M. BRUNER

Tradução
CARLOS ALBERTO MEDEIROS

Nota editorial

A nação precisa acordar é uma coletânea. O principal documento, "Eventos do Massacre de Tulsa", é um importante registro histórico de um dos eventos mais graves — e mais ignorados — da história norte-americana. Sua autora, Mary E. Jones Parrish, notavelmente compilou relatos testemunhais do massacre racial de Tulsa em 1921, e estamos em débito com ela por isso. O que a testemunha aqui compartilha, juntamente com outras de sua comunidade, é conciso e impactante.

Como a obra de Parrish é um documento histórico, deixamos seu texto intacto, o que inclui linguagem e fraseados comuns em sua época, embora sejam bastante complicados nos dias de hoje. Sabemos que os leitores são capazes de entender esse contexto e valorizar o documento, assim como as reflexões atuais oferecidas por historiadores e pela bisneta de Parrish.

Tome coragem, erga a cabeça e estenda a mão [pois] não podemos nos erguer acima do mais fraco de nossos irmãos.

Esta noite, enquanto escrevo e penso sobre Tulsa … meus olhos se enchem de lágrimas e minha alma clama por justiça. Oh, Estados Unidos! Terra dos Livres e Lar dos Bravos! País que ofereceu seu sangue mais valioso e seus corações mais valentes a fim de tornar o mundo seguro para a democracia! Por quanto tempo vai deixar que a violência das turbas reine suprema? Será que a democracia é um escárnio?

Mary E. Jones Parrish

Nuvem de fumaça sobre Greenwood após os distúrbios de 1921.

Prefácio

Na primavera de 1921 eu tinha apenas seis anos, mas os eventos de Tulsa, no final de maio e início de junho, ficaram gravados para sempre em minha mente. Por alguns anos minha família tinha morado em Rentiesville, uma vila só de negros cerca de 105 quilômetros ao sul de Tulsa. Eu nasci lá, na agência dos correios, onde meu pai era carteiro, juiz de paz, presidente da Companhia de Comércio de Rentiesville e o único advogado da cidade. Todas essas atividades não propiciavam uma vida digna, e quando meu pai saiu de lá, em fevereiro de 1921, para abrir um escritório de advocacia em Tulsa, a família deveria segui-lo no verão. Enquanto minha mãe completava seu período como professora, eu estava ansioso, assim como meu irmão e minha irmã (a mais velha estava num colégio interno no Tennessee), para me mudar para a cidade grande.

Então aconteceu! Tulsa estava em chamas! As notícias sobre os distúrbios em Tulsa chegaram a nossa pequena vila de forma lenta e fragmentada. Em 1921 não havia aparelhos de rádio ou televisão, evidentemente. E Rentiesville não tinha telefones, nem mesmo um telégrafo para se conectar com o mundo exterior. Dependíamos das notícias que eram transmitidas de

Tulsa a Muskogee, onde era impresso o *Daily Phoenix*, por sua vez entregue em Rentiesville pelo trem da Katy Railroad, que levava correspondências e passageiros. Ficamos sabendo que a Tulsa Negra tinha sido destruída, incendiada. Muitos negros haviam sido mortos. Mas o jornal não dizia quem eram eles e não tínhamos nenhuma informação sobre meu pai. Nossa mãe fazia a interpretação mais favorável possível das notícias, tentando atenuar nossos temores. Foi como se tivesse demorado anos para tomarmos conhecimento, alguns dias depois, de que ele estava a salvo.

Em 1921, e nos anos seguintes, os distúrbios de Tulsa foram significativos para mim por terem mantido nossa família separada. Os bens acumulados por meu pai naqueles poucos meses em Tulsa foram destruídos no conflito, e nossa mudança para lá, adiada indefinidamente. Enquanto isso, meu pai estava ocupado enfrentando determinações municipais que pareciam planejadas para obstruir os esforços de reconstrução da Tulsa Negra. Nisso ele foi bem-sucedido, mas, na empreitada de reunir a família, o êxito foi mais lento. Seus clientes eram pessoas pobres, e levava tempo para juntar os pequenos honorários que eles podiam pagar. Finalmente, numa terça-feira, 12 de dezembro de 1925, minha mãe, que havia deixado o trabalho de professora, juntou nossos pertences e nos mudamos para a casa em Tulsa que meu pai tinha alugado para nós.

Todos que tinham vivenciado o motim racial de Tulsa ou que se sensibilizaram com ele de alguma forma, como foi meu caso, tinham sua própria visão do que havia acontecido, de seus impactos imediatos e de quais foram suas consequências a longo prazo. Quando cheguei a Tulsa, aos dez anos, a sabedoria coletiva da comunidade negra tinha chegado a certas conclusões sobre o tumulto. Uma era a de que Dick Rowland — cujos supostos avanços impróprios sobre uma moça branca provocaram o motim e que mais tarde foi inocentado — fora, juntamente com os moradores negros de Tulsa, vítima de um "surto de distúrbios" que acometia a comunidade branca. Outra era a de que muito mais brancos tinham sido mortos no tumulto do que os próprios brancos estavam dispostos a admitir. Quem quer que frequentasse regularmente o tribunal, como fiz com meu pai no fim da década de 1920, estaria interessado em ouvir processos envolvendo o espólio de alguma pessoa branca que morrera em 1º de junho de 1921 ou por volta desse dia. Sempre se ficava tentado a concluir que o falecido perdera a vida no conflito. Outra conclusão era a de que brancos haviam saqueado as casas dos negros antes de incendiá-las. Corriam rumores de que, depois dos distúrbios, mulheres negras reconheceram suas roupas ou peças sendo usadas pelas brancas e simplesmente reivindicavam suas propriedades e as tomavam.

Essas conclusões pareciam necessárias para preservar a autoestima da comunidade negra de Tulsa. Fossem ou não válidas, surtiram o efeito desejado. A autoconfiança dos negros de Tulsa aumentou, seus negócios prosperaram, suas instituições floresceram e eles simplesmente não tinham medo dos brancos. Depois de 1921, uma desavença entre uma pessoa branca e uma pessoa negra não era um incidente racial, ainda que uma vida se perdesse. Era apenas um incidente. Tal atitude teve um papel importante em erradicar o medo que um garoto negro crescendo em Tulsa poderia ter sentido nos anos que se seguiram aos conflitos.

Creio que, no longo prazo, os distúrbios lançaram uma sombra sobre a cidade e a tornaram semimorta mesmo nos dias de hoje, décadas depois. Antes deles, a comunidade negra em Tulsa tinha sido economicamente próspera, além de religiosa e fisicamente coesa e forte. Os distúrbios foram devastadores do ponto de vista econômico e, dada a falta de assistência e a segregação quase absoluta que persistiu por décadas, as pessoas não conseguiram se recuperar financeiramente. A combinação de circunstâncias que se estabeleceu após o conflito tornou impossível para os negros de Tulsa viver como cidadãos íntegros e confiantes, mesmo que alguns tenham tentado de início. As pessoas não apenas perderam seus lares e negócios, mas pareciam ter perdido parte de seus sonhos e suas convicções, pelo menos como grupo. Assim, embora eu acredite que tenha havido um período de aproximadamente dez anos no qual elas fizeram o máximo possível para reconstruir e revitalizar sua comunidade educacional e socialmente, no fim, dadas a devastação econômica e a persistente e total separação e indiferença da comunidade branca, um desalento mórbido acabou se estendendo sobre a comunidade negra. E, como a cidade nunca enfrentou honestamente o que aconteceu, essa mortalha persiste até hoje.

JOHN HOPE FRANKLIN

Apresentação

Para quem está ouvindo falar pela primeira vez sobre os distúrbios raciais de Tulsa em 1921, pode parecer quase impossível acreditar. Durante o curso de dezoito terríveis horas, mais de mil casas foram totalmente queimadas. Praticamente da noite para o dia, bairros inteiros em que famílias tinham criado seus filhos, visitado vizinhos e pendurado suas roupas do lado de fora para secar foram repentinamente reduzidos a cinzas. E enquanto suas casas queimavam, o mesmo ocorria com o que elas continham, incluindo os móveis e as Bíblias das famílias, bonecas de pano e edredons, berços e álbuns de fotos. Em menos de 24 horas, quase todo o distrito residencial afro-americano de Tulsa — cerca de quarenta quarteirões no total — tinha sido destruído, deixando quase 9 mil pessoas desabrigadas.

Também se fora o distrito comercial afro-americano da cidade, uma área próspera situada ao longo da Greenwood Avenue onde ficava algumas das melhores empresas de proprietários negros de todo o Sudoeste. O hotel Stradford, um moderno estabelecimento com 54 quartos que abrigava uma farmácia, uma barbearia, um restaurante e um salão de festas, fora completamente incendiado. O mesmo aconteceu com os hotéis Gurley, Red Wing e Midway. Literalmente, dezenas de negócios geridos por negros — cafés e pequenas mercearias, o teatro Dreamland, a Associação Cristã de Moços, lavanderias, a loja de rações e o rinque de patinação de Osborne Monroe — também foram consumidos pelas chamas, levando consigo os meios de subsistência e, em muitos casos, as economias de toda uma vida de centenas de pessoas.

As sedes de dois jornais — o *Tulsa Star* e o *Oklahoma Sun* — também foram destruídas, assim como os consultórios e escritórios de dezenas de médicos, dentistas, advogados, corretores de imóveis e outros profissionais. Uma subestação da Agência de Correios dos Estados Unidos também foi incendiada, assim como o Frissell Memorial Hospital, exclusivamente negro. O prédio da recém-inaugurada escola de ensino médio Booker T. Washington escapou das tochas dos desordeiros, mas a escola Dunbar de ensino fundamental, não. O mesmo ocorreu com algumas igrejas afro-americanas, incluindo a recém-construída Igreja Batista Mount Zion, um impressionante tabernáculo de tijolos que fora inaugurado apenas sete semanas antes.

As perdas humanas foram ainda mais duras. Embora provavelmente nunca cheguemos a saber o número exato de pessoas que perderam a vida durante os conflitos de Tulsa, até as estimativas mais moderadas são aterradoras. Embora saibamos que a chamada estimativa oficial de nove brancos e 26 negros é muito baixa, também é verdade que algumas das mais altas estimativas são igualmente duvidosas. Levando-se tudo isso em conta, há evidências consideráveis de que entre 75 e cem pessoas, negras e brancas, foram mortas durante os conflitos. Deve-se acrescentar, contudo, que pelo menos uma fonte confiável desse período — Maurice Willows, que dirigiu as operações de resgate da Cruz Vermelha Americana em Tulsa — indicou em seu relatório oficial que o total de mortes havia chegado perto de trezentos.

Também temos pelo menos uma ideia de onde estavam algumas das vítimas. Reuben Everett, que era negro, era um trabalhador que vivia com a esposa, Jane, em uma casa na Archer Street. Morto por um ferimento a bala na manhã do dia 1º de junho de 1921, foi enterrado no cemitério Oaklawn. George Walter Daggs, branco, pode ter morrido pelo menos doze horas antes. Gerente do escritório da Pierce Oil Company em Tulsa, ele foi morto com um tiro na nuca quando fugia do tiroteio inicial dos distúrbios, que irromperam em frente ao Tribunal do Condado de Tulsa na noite do dia 31 de maio. O dr. A. C. Jackson, um renomado médico afro-americano, foi mortalmente ferido no jardim na frente de sua casa, depois de ser rendido por um grupo de brancos. Atingido no estômago, morreu mais tarde no Arsenal da Guarda Nacional. Mas, para cada história de vítimas que conhecemos, existem outras — como a dos "negros não identificados" cujos enterros foram registrados nas páginas agora amareladas dos registros de antigas casas funerárias — cujos nomes e histórias de vida ainda estão, pelo menos até agora, perdidos.

Qualquer que seja o padrão que se adote, os conflitos de Tulsa em 1921 constituem uma das maiores tragédias da história do estado de Oklahoma. Walter White, um dos principais especialistas norte-americanos em violência racial, visitou Tulsa durante a semana seguinte aos distúrbios e ficou chocado com o que havia acontecido. "Posso afirmar", disse ele, "que os distúrbios de Tulsa, com sua enorme brutalidade e a destruição intencional de vidas e propriedades, permanecem sem paralelo nos Estados Unidos."

Com efeito, para um número expressivo de observadores ao longo dos anos, o termo "conflito" parece, em si mesmo, inadequado para descrever a violência e a proporção desse incidente. Para alguns, o que ocorreu em Tulsa nos dias 31 de maio e 1º de junho de 1921 foi um massacre, um pogrom ou, para usar uma expressão mais moderna, uma limpeza étnica. Para outros foi nada menos que uma guerra racial. Independentemente, porém, do termo que se use, uma coisa é certa: quando tudo terminou, o distrito afro-americano de Tulsa fora transformado numa terra devastada pelo fogo, com terrenos baldios, fachadas de lojas em ruínas, igrejas incendiadas e árvores queimadas e sem folhas.

Quem viveu os conflitos jamais conseguiu se esquecer do que aconteceu. E, nos bairros afro-americanos de Tulsa, os danos físicos, psicológicos e espirituais mantiveram-se visíveis durante anos. Na verdade, mesmo hoje ainda há lugares na cidade em que é possível observar suas marcas. No norte de Tulsa, os distúrbios nunca foram esquecidos — não poderiam.

Mas, nas outras áreas da cidade e do estado, foram gradativamente caindo no esquecimento. Ao longo dos anos, especialmente após a Segunda Guerra Mundial, quando um número crescente de famílias se mudou de outros estados para Oklahoma, o número de habitantes que nunca havia ouvido falar desses distúrbios aumentou. De fato, discutiu-se tão pouco sobre os distúrbios, e por tanto tempo, que em 1996 o promotor distrital do condado de Tulsa, Bill LaFortune, pôde dizer a um repórter: "Sou nascido e criado aqui e nunca ouvi falar dos distúrbios".

Como isso pôde acontecer? Como é que um desastre da proporção e do escopo dos distúrbios raciais de Tulsa pôde ser, de alguma forma, esquecido?

Em lugar algum essa amnésia histórica foi mais impressionante do que em Tulsa, especialmente nos bairros brancos da cidade. "Por algum tempo", observou Osborn Campbell, um ex-petroleiro, "cartões-postais com retratos das vítimas em poses horríveis foram vendidos nas ruas." Brancos participantes dos conflitos "gabavam-se dos entalhes que tinham em suas armas". Com o tempo, porém, os conflitos, que muitos brancos viam como um motivo de orgulho, passaram a ser encarados de maneira mais geral como uma vergonha local. Por fim, acrescentou Osborn, "as pessoas deixaram de falar sobre isso".

O mesmo se deu, aparentemente, com as notícias. Pois embora seja altamente questionável que — como se alegou — algum jornal de Tulsa tenha realmente desestimulado seus repórteres a escreverem sobre o conflito por anos a fio, ele não parece ter sido mencionado na imprensa local.

Apesar dessa negligência oficial, contudo, sempre houve tulsanos que, ao longo dos anos, ajudaram a garantir que os distúrbios não fossem esquecidos. Tanto negros quanto brancos, às vezes atuando sozinhos, porém mais frequentemente juntos, coletaram evidências, preservaram fotografias, entrevistaram testemunhas, escreveram sobre suas descobertas e tentaram, o máximo possível, garantir que os distúrbios não fossem apagados da história.

Nenhum deles, talvez, obteve um sucesso mais espetacular nesse sentido do que Mary E. Parrish, uma jovem professora e jornalista afro-americana. Parrish se mudou de Rochester, no estado de Nova York, para Tulsa em 1919 ou 1920 e encontrou trabalho ensinando datilografia e taquigrafia na exclusivamente negra Hunton Branch da Associação Cristã de Moços. Com sua filha, Florence Mary, ela morava no edifício Woods, no coração do distrito comercial afro-americano. Quando irromperam os distúrbios, mãe e filha foram forçadas a abandonar o apartamento e fugir para salvar suas vidas, correndo na direção norte pela Greenwood Avenue em meio a uma saraivada de balas.

Imediatamente após os distúrbios, Parrish foi contratada pela Comissão Inter-Racial para "fazer um relato" do que havia acontecido. Mergulhando no trabalho com sua paixão característica — e, como se pode imaginar, com uma máquina de escrever emprestada —, Parrish entrevistou diversas testemunhas e transcreveu os depoimentos dos sobreviventes. Também escreveu um relato sobre suas terríveis experiências pessoais durante os distúrbios, incluindo fotografias da destruição e uma lista parcial das propriedades perdidas pela comunidade afro-americana. Tudo isso foi publicado no livro *Events of the Tulsa Disaster*. Embora aparentemente apenas algumas cópias tenham sido impressas, o livro de Parrish não só foi a primeira publicação sobre os distúrbios — e um trabalho pioneiro no jornalismo feito por uma mulher afro-americana — como se mantém até hoje um inestimável relato contemporâneo.

JOHN HOPE FRANKLIN E SCOTT ELLSWORTH

A destruição do distrito de Greenwood, Tulsa, junho de 1921.

Eventos do Massacre de Tulsa

Tal como publicado em 1923

Depois dos distúrbios, 1º de junho de 1921.

Prefácio

Eu vim de Rochester, NY, em 1918 para visitar um irmão que morava em Tulsa. Em Rochester, havia um número pequeno dos nossos e os únicos negócios em que estávamos envolvidos eram restaurantes, hotéis, pensões, barbearias, salões de beleza etc. Durante os poucos meses que passei em Tulsa, meus olhos se encantaram com a visão dos sinais de progresso que constatei em nosso grupo.

Cada rosto parecia estampar um sorriso de felicidade. Essa paz e essa felicidade estavam destinadas a se transformar numa dor profunda e silenciosa, pois foi nessa época que a mão da Guerra Mundial pesou mais intensamente aqui. Nosso Tio Sam convocou 250 jovens negros de uma só vez. Esses jovens não hesitaram, atendendo bravamente à convocação, e muitos jamais retornaram a sua amada Tulsa. Esses bravos rapazes deram suas vidas para fazer do mundo um lugar seguro para a democracia. Ele está seguro? Deixemos que Tulsa, a cidade em que milhares de cidadãos inocentes, cumpridores da lei, perderam seus lares, responda.

Oramos para que Deus seja misericordioso e nunca deixe que esses nobres Filhos de Cã, cujo sangue da vida tinge o solo da "terra de ninguém", saibam o que tiveram de sofrer os amigos e entes queridos que deixaram para trás.

Esta noite, enquanto escrevo e penso sobre Tulsa, a de então e a de 1º de junho, meus olhos se enchem de lágrimas e minha alma clama por justiça. Oh, Estados Unidos! Terra dos Livres e Lar dos Bravos! País que ofereceu seu sangue mais valioso e seus corações mais valentes a fim de tornar o mundo seguro para a democracia! Por quanto tempo vai deixar que a violência das turbas reine suprema? Será que a democracia é um escárnio? Será que esta linda "terra em que morreram nossos pais, a terra do orgulho dos Peregrinos" vai desviar-se para o bolchevismo e a anarquia como fez a Rússia? Se o Rei Turba continuar governando, será apenas uma questão de tempo até testemunharmos alguns episódios da Rússia encenados bem aqui em nossas praias.

O homem rico no poder e o político gordo que têm manobrado para garantir um cargo, e até nosso Congresso, podem sentar-se, cruzar os braços e perguntar: "Que podemos fazer?". Permitam-me alertá-los de que está chegando rapidamente a hora em que desejarão fazer alguma coisa e será tarde demais.

Quando começou a violência das turbas, isso ocorreu no Sul, e as vítimas eram homens e mulheres negros. Hoje, a mão do Rei Turba se faz sentir em todas as partes dos Estados Unidos e não respeita pessoas, raça ou cor* — nem mesmo poupa mulheres brancas.

O Projeto de Lei de Dyer** contra o Linchamento pode ser uma gloriosa vitória com vista a tornar os Estados Unidos um lugar seguro para seus cidadãos negros cumpridores da lei. Nós, como raça, tiramos especialmente o chapéu para o sr. Dyer, que

* O termo *colored* é utilizado por pessoas negras nos Estados Unidos desde o século 19 e foi repensado e debatido por intelectuais e militantes ao longo dos anos. No Brasil, do século 19 até o início da retomada do termo "negro" na década de 1930, a expressão "pessoas de cor" também foi utilizada por alguns grupos como forma de minar outros termos entendidos como depreciativos. (N.E.)

** Leonidas Carsarphen Dyer foi um deputado do estado do Missouri, membro do Partido Republicano, que apresentou esse projeto em 1918. (N.T.)

apresentou esse projeto de lei, e aos nobres membros do Congresso, que votaram a favor. Não posso continuar sem demonstrar meu respeito pelo xerife do Kentucky, que tão corajosamente defendeu seu cargo e a vida do prisioneiro deixado sob sua responsabilidade. Tivessem os Estados Unidos mais homens que, como ele, honrassem sua profissão, mesmo a ponto de usarem uma metralhadora caso necessário, teríamos menos linchamentos e problemas raciais. O Massacre de Tulsa foi provocado, na verdade, por uma "Horda de Linchadores" e porque os homens de cor se ergueram em defesa da legalidade e para livrar um semelhante seu das mãos da turba sem lei que se reuniu em torno da cadeia. (Ver trechos da *Literary Digest* de 18 de junho.)

Tal como essa horda de homens perversos varreu a área habitada por pessoas de cor em Tulsa, reduzindo a acumulação de anos de labuta e sacrifício a pilhas de tijolos, cinzas e ferro retorcido, se alguma coisa não for feita para trazer justiça e puni-los, pondo um freio a essa disposição, da mesma forma eles irão, um dia, destruir os lares e as instalações de negócios de sua própria raça. Esse espírito de destruição, tal como o da violência da turba quando instigada, não tem medidas nem limites, nem qualquer relação com lugar, pessoa ou cor. Achava-se que o linchamento fosse algo ligado ao passado no Sul. Hoje em dia, as terras do Norte também têm sido marcadas por esse abominável pecado e desgraça.

Como parecem recentes as páginas iniciais deste opúsculo! Minha esperança e meu desejo sinceros são de que sirva ao mesmo propósito que *A cabana do Pai Tomás*, ou seja, para abrir os olhos das pessoas pensantes dos Estados Unidos ao perigo iminente de deixar que essas condições existam e permaneçam na "Terra dos Livres e Lar dos Bravos", e também para prestar um tributo aos mártires do desastre e Massacre de Tulsa.

Essa foi a ideia da matéria, e com estas breves palavras introdutórias eu a recomendo àqueles que se arrisquem a lê-la.

Depois dos distúrbios, foto da Igreja Batista Mount Zion.

Minha experiência em Tulsa

Depois da viagem a Tulsa em 1918, voltei para Rochester e lá permaneci por apenas cinco meses antes de ser chamada a McAlester,* para ficar com minha mãe, que partiu desta vida após seis meses de paciência e carinho dos filhos que tanto a amavam. Então resolvi morar em Tulsa. Eu tinha ouvido falar dessa cidade desde meus tempos de menina, assim como das muitas oportunidades de ganhar dinheiro aqui. Só que eu não vim para Tulsa, como muitos vieram, atraída pelo sonho de ganhar dinheiro e melhorar minha posição no mundo das finanças, mas pela maravilhosa cooperação que observei entre nosso povo, e especialmente pela harmonia de espírito e ação que havia entre homens e mulheres de negócios.

Ao deixar a estação de Frisco, indo na direção norte para a Archer Street, não se podia ver senão firmas de negros. Indo dois ou mais quarteirões para leste pela mesma rua, você chegaria à Greenwood Avenue, a Wall Street Negra, e à aberração de alguns corretores de imóveis mal-intencionados que viram a vantagem de transformar essa rua em um distrito comercial.

* Cidade próxima a Tulsa onde existe um hospital famoso até hoje. (N.T.)

Essa área de Tulsa era uma cidade dentro da outra, e alguns jornais maliciosos se orgulhavam de se referir a ela como "Pequena África". Na Greenwood era possível encontrar uma variedade de empresas que seriam dignas de admiração em qualquer parte da cidade. Na área residencial, havia casas de beleza e esplendor capazes de agradar ao olhar mais crítico. As escolas e muitas igrejas eram bem frequentadas.

O espaço não me permite fazer aqui uma ampla descrição do povo de Tulsa. O texto "Tulsa, Então e Agora", do prof. G. A. Gregg, bacharel em Artes, oferece um panorama mental de nosso grupo em Tulsa.

Depois de passar anos de luta e sacrifício, o povo começara a ver Tulsa como a Metrópole Negra do sudoeste. Então o devastador Massacre de Tulsa irrompeu sobre nós, transformando ideias e ideais em meras provas materiais de nossa civilização.

Um garoto de cor pisou acidentalmente no pé de uma ascensorista branca. Um jornal vespertino lançou a notícia que repercutiu no rádio com o título de sempre: "Teme-se que haja um linchamento se a vítima for apanhada". E então irromperam as chamas do ódio que vinha sendo fermentado havia anos.

Desde o linchamento de um garoto branco em Tulsa, a confiança na habilidade da polícia local em proteger um prisioneiro havia diminuído; assim, alguns dos nossos se juntaram para aumentar a proteção da vida que fora ameaçada sem uma chance de provar sua inocência. Digo inocência porque ele foi levado a julgamento e posto em liberdade; a jovem em torno da qual se criou o problema não apareceu para depor contra ele.

No fim da tarde de 31 de maio, eu estava ocupada com uma aula de datilografia que terminou por volta das nove da noite. Depois que meus alunos foram embora, imediatamente comecei a ler um livro que estava muito ansiosa por terminar (devo admitir, contudo, que nunca consegui concluir essa leitura), de modo que demorei a perceber a agitação. Como a noite estava agradável, minha filhinha ainda não havia ido dormir e olhava as pessoas pela janela. Ocasionalmente ela me chamava:

— Mamãe, olha os carros cheios de gente.

Eu respondia:

— Querida, não me perturbe, eu quero ler.

Finalmente, ela disse:

— Mamãe, estou vendo homens armados.

Então corri até a janela e olhei para fora. Vi muitas pessoas reunidas em grupos falando com nervosismo. Ao descer as escadas e ir até a rua fui informada da ameaça de linchamento e que nosso grupo daria uma proteção adicional ao garoto.

Disseram-me que esse pequeno grupo de homens negros corajosos e leais que estava disposto a dar suas vidas, se necessário, em favor de um dos seus marchou até a cadeia onde mais de quinhentos brancos já estavam reunidos, número que logo passou de mil. Alguém deu um tiro e, para usar uma expressão do general Grant, "O mundo veio abaixo". A partir daquele momento a tranquila e pacífica Tulsa se transformou numa estufa de destruição.

Minha filhinha e eu ficamos vendo de nossa janela os grupos de homens exaltados até tarde da noite, quando eu mandei que ela se deitasse e tentei descansar enquanto esperava e vigiava. Esperar e vigiar o quê — eu não sabia. Pôde-se ouvir uma rápida sucessão de tiroteios e isso foi horas antes de eu me dar conta de todo o horror. Eu tinha lido sobre os distúrbios de Chicago e os problemas de Washington, mas não parecia possível que a próspera Tulsa, uma cidade tão tranquila e pacífica naquela manhã, pudesse estar na rota de um grande desastre. Quando percebi o que realmente estava acontecendo, peguei minha filha no colo, li um ou dois capítulos dos Salmos de Davi e orei para que Deus me desse coragem para enfrentar tudo aquilo.

Os trilhos e a estação de Frisco formam uma linha divisória entre a área empresarial branca de Tulsa e a área negra. Foi ali que se travou a primeira batalha. Como touros enlouquecidos por uma capa vermelha ou lobos sedentos de sangue atrás de uma carcaça, da mesma forma esses lobos ditos humanos foram à loucura para eliminar seus concidadãos. Mas nossos bravos rapazes lutaram tenazmente e contiveram o inimigo durante horas. Devido à carência de munição, foram forçados a se retirar da Cincinnati Avenue, e imediatamente os adversários começaram a pilhar e incendiar a área.

Por volta de uma e meia da manhã o fogo reduziu um pouco e se esperava que a crise tivesse passado. Alguém na rua gritou:

— Vejam, estão queimando a Cincinnati!

Ao olharmos, vimos colunas de fumaça e fogo e assim soubemos que o inimigo estava se dirigindo rapidamente para a Greenwood. De forma semelhante a Stonewall Jackson no passado, nossos jovens ergueram-se "Como uma muralha de pedra", repelindo todas as tentativas de incendiar a Greenwood e imediações. Eu não queria fugir, mas meu coração se encheu de compaixão pelos que lutavam tão bravamente contra contingências tão terríveis. Eu ignorei minha segurança pessoal e fui tomada pelo desejo incontrolável de ver o resultado da batalha. O tiroteio e o incêndio continuaram por longos intervalos. No início da manhã, por volta das três ou quatro horas, viu-se que o hotel Midway estava em chamas. Uma amiga do prédio ligou para o Corpo de Bombeiros. A resposta foi "Eles logo estarão aí", mas nunca apareceram. Por volta das cinco horas, uma senhora, amiga minha, ligou para o Departamento de Polícia e perguntou quando os agentes chegariam a Tulsa, e a resposta foi: "Por volta das sete horas". Olhando para o sul, pela janela do que era então o edifício Woods, vimos carros lotados de homens com rifles que desciam perto do armazém localizado sobre os trilhos da ferrovia perto da First Street. Então se revelou para nós a verdade de que nossos homens estavam lutando em vão para salvar sua querida Greenwood. Fomos tomados por uma inquietação, e a sra. Jones e eu caminhamos pelos corredores, olhando primeiro pelas janelas e depois pelas portas. Com nosso nervosismo, algumas vezes nos esquecíamos de nós mesmas e púnhamos a cabeça fora da janela, quando então recebíamos a oportuna advertência de recuar para não levar um tiro. Ainda bem cedo, as luzes estavam todas apagadas, de modo que orávamos para chegar a luz do dia na esperança de que o pior tivesse passado, mas não foi assim, pois a luz tinha guardado para nós uma desagradável surpresa.

Depois de vermos os homens descerem na First Street, onde podíamos observá-los de nossas janelas, ouvimos um zunido ao corrermos até a porta para termos uma visão melhor, e o que vimos fez nosso coração parar de bater por um instante. Havia uma grande sombra no céu e, ao olharmos novamente, percebemos que essa nuvem fora causada por aviões que se aproximavam em alta velocidade. Então concluímos que o inimigo havia se organizado durante a noite e estava invadindo nosso distrito da mesma forma como os alemães invadiram a França e a Bélgica. Os tiros repetiam-se em rápida sucessão. Pessoas foram vistas fugindo de seus lares em chamas, algumas com bebês nos braços e levando, pelas mãos, crianças que choravam agitadas; outras pessoas, idosas e frágeis, todas fugindo em busca de segurança. No entanto, aparentemente, eu não conseguia ir embora. Andava como se estivesse num terrível pesadelo. A essa altura minha filhinha estava de pé e vestida, mas fiz com que ela se deitasse no sofá para que as balas tivessem de penetrá-lo antes de atingi-la. Nesse intervalo fora instalada uma metralhadora no armazém e uma saraivada de balas caía sobre nossa área. Olhando para fora pela porta da frente, vi pessoas ainda fugindo e o inimigo se aproximando rapidamente. Ouvi um homem gemer; olhei para cima bem a tempo de vê-lo cair e fui puxada para dentro da casa. Ainda não conseguia fugir. Finalmente minha amiga chamou seu marido, que tentava descansar um pouco, e eles resolveram procurar um lugar seguro, e me disseram que iriam sair. A essa altura o inimigo estava bem perto de nós, então eles correram pela porta do lado sul, que levava à Archer Street, e prosseguiram para leste em direção à Lansing. Peguei minha filha pela mão e fui até a porta oeste, que dava para a Greenwood. Não tive tempo de pegar um chapéu para mim ou para ela, mas comecei a correr para o norte rumo à Greenwood, em meio a uma saraivada de balas vindas de uma metralhadora localizada no armazém e de homens que rapidamente cercavam nosso distrito. Percebendo estar em desvantagem, nossos homens haviam se abrigado no prédio e em outros lugares fora da vista do inimigo. Quando Florence, Mary e eu corremos para a rua, ela estava vazia por um quarteirão ou mais. Alguém gritou para mim:

— Saia da rua com essa criança ou vocês duas vão morrer!

Senti que seria suicídio permanecer no prédio, pois ele certamente seria destruído e era preferível morrer nas ruas, já que a expectativa era a de que fôssemos atingidas a qualquer momento, de modo que depositamos nossa confiança em Deus, nosso Pai Celestial, que tudo vê e sabe, e corremos pela Greenwood na esperança de chegar à casa de um amigo que morava no alto da colina Standpipe, na extensão da Greenwood. Ao me aproximar da colina, pude ver casas em chamas na Eastern e na Detroit, e também percebi que o inimigo havia se posicionado na colina e que nosso distrito estava totalmente cercado. Pensávamos estar deixando os tiros para trás, mas descobrimos que o perigo estava aumentando devido à metralhadora instalada na encosta. Ao nos aproximarmos da extensão, nós nos juntamos a outras pessoas que fugiam na mesma direção. Finalmente chegamos à casa de meu amigo, mas, para nossa decepção, descobrimos que ele e a família tinham fugido depois de esperarem por mim a noite inteira. Eu então decidi seguir o grupo na esperança de obter segurança. Acabamos chegando aos limites do distrito, a multidão aumentando cada vez mais. A pergunta nos lábios de todos quando aparecia um recém-chegado da cidade era: "Quanto eles já tinham conseguido queimar quando você saiu da cidade?".

Na divisa, encontrei a sra. Thompson, seu marido e família. Estavam num automóvel e começavam a seguir para leste. Ela me chamou, corri na direção deles e entrei no carro. Logo reiniciamos nossa busca por um lugar seguro. Fomos em frente, passando por muitas casas de fazendas, na maioria pertencentes a brancos. Eles nos olhavam como se fôssemos animais fugindo de uma floresta em chamas. Ultrapassamos muitos de nosso grupo. A visão mais comovente foi a de um casal de idosos se esforçando para seguir a pé. Como desejei sair e oferecer-lhes meu assento, mas não podia deixar minha filha sozinha numa situação de perigo. Quando passamos por eles, a senhora idosa nos pediu para levar seu casaco — era muito pesado. Nós o fizemos, mas nunca conseguimos reencontrá-la. Depois de avançarmos vários quilômetros, começamos a ver a nossa frente automóveis lotados de homens armados indo para o leste. Ficamos imaginando para onde estariam indo, contudo não precisamos esperar muito pela resposta, pois, ao nos aproximarmos do campo de aviação, entendemos qual era o destino deles. Os aviões estavam do lado de fora dos galpões, todos prontos para decolar, e esses homens com rifles de elevada potência estavam embarcando. Ao avançarmos mais, vimos vários homens saindo da pista, indo para o prédio, voltando com armas e seguindo para Tulsa.

Depois de muitos quilômetros de viagem em direção ao interior, tentando encontrar o caminho para Claremore, olhamos para a estrada e vimos uma senhora negra vindo em nossa direção. Minha amiga e eu fomos ao seu encontro. Ela nos aconselhou a não passar por uma cidadezinha próxima, pois estavam tratando de forma horrível as pessoas de nosso povo que passavam por lá, tomando suas armas e ameaçando prendê-las. Ela nos disse que éramos bem-vindos em sua casa, onde poderíamos ficar até que fosse seguro voltar para Tulsa. Nós ficamos gratos pela hospitalidade, aceitamos o convite e fomos com ela para a casa. Lá descansamos e nos sentimos tão confortáveis quanto era possível, dadas as circunstâncias. Tendo ficado o dia inteiro debaixo de sol e sem chapéus — apenas com gambiarras feitas de folhas —, achamos o teto que nos abrigava muito refrescante.

Um carro de pão passou pelas pessoas que fugiam pelo acostamento, e o motorista vendeu os pães. Nós também compramos, assim, quando parássemos para descansar, teríamos pão e água sempre que quiséssemos, em qualquer trecho do caminho. Frequentemente, os homens paravam e pegavam água numa fonte, usando os chapéus como canecas. Na França? Não, em Oklahoma. Depois de chegar a essa casa, como o grupo era grande demais para que pudesse ser suprido por um balde, colocou-se em serviço uma banheira e o orgulho foi mandado às favas. Estávamos tão famintos e nossos lábios ressecados que as crianças choravam por um gole d'água, e essa foi a água mais gostosa que eu me lembro de ter bebido. Nunca vou me esquecer de uma família que começara ali sua jornada e tivera o azar de perder uma roda de sua carroça, tendo que descer e seguir a pé. Eram pai e mãe com um bebê de seis meses — muito bonito e saudável. O pai o carregava por um trecho do percurso, revezando-o com a mãe, que o levava até não aguentar mais. Quando ambos estavam à beira da exaustão, o pai gritou:

— Alguém pode nos ajudar?

Sendo mãe, naturalmente, meu coração sentia muita empatia por eles, de modo que pedi que me trouxessem o bebê, que eu cuidaria dele por algum tempo para que pudessem descansar. Eles finalmente conseguiram arranjar outra roda depois de andarem quilômetros empurrando a que estava quebrada.

Os aviões continuaram a vigiar as pessoas em fuga como grandes aves de rapina em busca de uma vítima, mas não ouvi falar de terem feito alguma coisa de ruim para as pessoas na direção em que estávamos seguindo. Recebi, contudo, informações seguras de que eles tinham atirado nos grupos reunidos no parque para pessoas de cor próximo à cidade.

Tudo correu bem até o fim da tarde. Um senhor idoso, acompanhado de suas filhas e netos, veio até onde nós estávamos descansando. Mandaram que ele fosse a uma granja próxima a fim de arranjar comida para sua família. Lá, lhe disseram que os funcionários da Cruz Vermelha estavam chegando em caminhões para trazer alimento para as pessoas em condição de sofrimento e levar de volta à cidade todos aqueles que desejassem. Em vez de comprar comida, como as filhas o instruíram a fazer, ele informou ao pessoal da granja que no lugar de onde viera havia "um monte de pessoas" querendo alimentos. Disseram-lhe que enviariam caminhões assim que voltassem para a cidade, o que eles fizeram, mas, quando os caminhões chegaram, não havia ninguém para cumprir o que fora prometido. Depois de passar um dia e uma noite terríveis, e testemunhar tamanha destruição, como podíamos confiar na raça que provocara tudo isso? Naquele momento, desconfiávamos de toda pessoa que tivesse a cara branca e os olhos azuis. Depois soubemos que os funcionários da Cruz Vermelha chegaram como anjos de misericórdia para curar e ajudar aqueles que sofriam. Quando o homem contou o que tinha feito, o grupo começou a procurar outro abrigo para descansar. Andamos cerca de três quilômetros pela campina, na maior parte do caminho carregando nossos filhos para evitar que as ervas espetassem suas perninhas cansadas. Fomos muito bem recompensados pela caminhada, pois essas pessoas bondosas prepararam um almoço quente para o grupo e nos ofereceram um lugar para dormir, de modo que ali passamos a noite. Embora estivéssemos a mais de cinquenta quilômetros de Tulsa, pudemos ver, por volta das dez da noite, a fumaça elevando-se sobre as ruínas.

Na manhã seguinte nós nos levantamos muito cedo, alertas, ouvidos atentos, para vermos o que podíamos descobrir. Por volta das dez horas, um homem branco chegou de carro para buscar um homem que trabalhava para ele. Nos informou que a Greenwood fora consumida pelo incêndio. Foi então que verti as primeiras lágrimas. Permanecemos lá pelo resto do dia e a noite, e na manhã seguinte resolvemos retornar e ver as ruínas da destruída Tulsa. Na manhã em que esperávamos o caminhão da Cruz Vermelha, vimos um homem que se perdera da mulher e acreditava que ela havia sido morta a tiros na encosta da colina. Disse que atiraram neles enquanto corriam, mas nenhuma bala os havia atingido. Depois soubemos, porém, que a mulher tinha apenas escorregado pela encosta e foi assim que eles se separaram.

O caminhão da Cruz Vermelha chegou por volta das nove horas e imediatamente começamos a viagem para Tulsa, aonde chegamos ainda cedo. Não entramos na cidade por nossa área; fomos levados pela área branca, sentados no caminhão, parecendo imigrantes, embora não carregássemos bagagem. Caro leitor, você pode imaginar a humilhação de chegar desse jeito, desfilando diante das muitas portas escancaradas para verem você passar, alguns com piedade e outros com um sorriso? Fomos parados no Parque de Exposições. Ali vimos centenas de pessoas de nosso grupo amontoadas e vigiadas como gado. No setor em que as mulheres foram confinadas havia muitas camas de campanha. Também estavam distribuindo roupas e sanduíches. Ali fiz novamente uma prece ao Pai Celestial, pedindo força. As pessoas que antes possuíam belas casas e prédios, e outras que sempre haviam trabalhado e construído uma vida confortável e honesta, estavam agora à vista de todos, esperando de pé numa fila para receber uma troca de roupa e sentindo-se gratas por um sanduíche e um copo d'água. De alguma forma, senti-me compelida a sair e compartilhar meu destino com o restante das pessoas, mas a casa de minha amiga não fora incendiada, de modo que, quando ela perguntou se eu a acompanharia, aceitei o convite. Saindo do Parque de Exposições, rodamos por muitos quarteirões do distrito branco, quando provamos ser um espetáculo interessante. Logo chegamos ao distrito que era tão lindo e próspero quando saímos. Descobrimos que ele se transformara numa pilha de tijolos, cinzas e ferro retorcido, encerrando anos de labuta e economia. Fomos tomadas pelo horror, mas, estranhamente, não conseguimos verter uma única lágrima. Passamos por quarteirões com a cabeça baixa, em doloroso silêncio, tentando dissipar as imagens aterradoras que estavam a nossa frente. Uma coisa que notamos é que todas as pessoas de nosso grupo que encontramos usavam um crachá com as palavras "PROTEÇÃO POLICIAL". Ao perguntarmos o significado daquilo, nos disseram que a cidade estava sob Lei Marcial e todas as pessoas de cor tinham de usar esses crachás para terem permissão de sair às ruas, e que todos tinham de estar dentro de suas casas antes das sete da noite. Todos os estabelecimentos comerciais também deveriam encerrar as atividades até esse horário. Finalmente, chegamos à casa de minha amiga e descobrimos que a construção ainda estava de pé, mas seu interior fora destruído e parte das coisas tinha sido levada. Depois de preparar o almoço e descansar por algum tempo, ficamos recolhidas naquela noite.

Levantamos cedo naquela manhã e fomos saudadas por outro dia luminoso e bonito, mas, na verdade, triste. Nossos corações estavam tensos e pesados do jeito como se sente uma pessoa quando regressa dos ritos de passagem de um ente querido. Sozinha no meio de todo esse tormento, tendo comigo apenas minha menininha, senti que não tinha nem um momento a perder, de modo que me vesti apressadamente, comi um pouquinho e corri para o centro da cidade para ver como estavam as coisas. Sentia-me como se caminhasse em um vale de sombras e não soubesse qual caminho seguir. Entretanto, olhando em volta, descobri que o prédio da escola secundária ainda estava de pé e, ao caminhar na direção dele para observá-lo mais de perto, vi uma grande faixa branca com uma cruz vermelha. Então me senti mais aliviada, pois isso significava que A MÃE DO MUNDO estava bem próxima e não se esquecera de nenhum de seus filhos em perigo, mesmo dos que tinham pele negra. Quando estava suficientemente perto, pude ler os dizeres "SEDE DA CRUZ VERMELHA AMERICANA". Fiz uma oração de agradecimento. Do outro lado da rua vi uma grande tenda branca e, ao olhar mais para cima, pude ler "SEDE DA ACM". Tive um acesso de alegria, pois isso significava que eu estava novamente próxima de meus amigos, tendo sido encarregada das aulas de datilografia e taquigrafia da ACM até aquela noite fatal. Fui em frente, pois estava a caminho da central telegráfica a fim de retomar o contato com meu povo. Consegui contatar meu irmão, Reuben, em McAlester, uma longa distância. Ele tinha ouvido dizer que minha filhinha e eu morrêramos queimadas no prédio, já que ninguém tinha nos visto sair. Também me recomendou que deixasse Tulsa imediatamente, mas eu queria ver como as coisas iriam terminar, de modo que resolvi permanecer na área atingida da cidade.

Voltando à sede da Cruz Vermelha, encontrei longas filas de mulheres, homens e crianças esperando sua vez de receber as roupas que estavam sendo oferecidas. E o que não consegui entender foi por que essas pessoas inocentes, tão indefesas quanto bebês, estavam sendo vigiadas. Apesar disso, guardas fortemente armados cercavam o prédio. Alguns eram educados e gentis, outros eram feras vestindo uniformes. Aqueles pobres passavam horas em pé esperando sua vez; alguns estavam perceptivelmente enfraquecidos e desmaiavam. As enfermeiras imediatamente os tiravam da fila e os atendiam.

Enfim consegui entrar no prédio, onde fui recebida por um guarda que me perguntou o que eu queria. Quando lhe disse, fui levada a uma sala onde fizeram meu registro. De lá subi até o vestiário em busca de uma muda de roupas para minha filhinha. Encontrei pilhas de roupas e sapatos. Por dar duro desde sempre para ter uma vida independente e ter condições de conquistar tudo o que quisesse, dentro dos limites do possível, senti uma grande amargura em ficar ali de pé esperando por uma muda de roupas de segunda mão, mas o que eu poderia fazer? Nossas roupas estavam sujas, mas eram tudo o que possuíamos, e eu não tinha permissão de ir à cidade para comprar outras. Consegui uma muda de roupas. Ao deixarem o vestiário, todos eram revistados para ver se não estavam levando mais de uma. (Que horror!) Lá embaixo, na central, encontrei telegramas de amigos e entes queridos que estavam tentando me localizar. Respondi prontamente. Todos diziam: "Saia de Tulsa imediatamente". Minha resposta foi: "Estou a salvo, mas não posso ir embora agora".

Saindo da sede da Cruz Vermelha, fui até a tenda da ACM. Lá estavam reunidas muitas pessoas dando-se as mãos e cumprimentando-se como soldados após uma grande batalha. Todos pareciam ansiosos por relatarem suas experiências. Essa organização oferecia água gelada para muitas pessoas sedentas. Também havia, do lado, um centro de assistência e duas mulheres encarregadas de distribuir roupas. Ali nos sentíamos livres para chegar e passar horas com amigos. Havia listas de cartas e telegramas espalhadas ao redor da tenda, em pontos visíveis para todos.

Para ajudar as pessoas a entrar em contato com seus entes queridos que estavam ansiosos por notícias, o sr. Theo Baughman, do *Oklahoma Sun*, conseguiu publicar um pequeno jornal diário e divulgava essas listas. A cada dia as pessoas sentavam-se no interior da tenda e examinavam as listas, assim como as listas de mortos, que saíam nos grandes jornais diários.

Ao chegar em casa nessa tarde, encontrei irmão Edward, que se arriscara passando por guardas armados (os acessos ao nosso distrito eram fortemente vigiados e, para poder entrar, exigia-se de todos o crachá de "Proteção Policial") para ir a meu encontro. Insistiu que eu voltasse para casa com ele. Mais uma vez resolvi permanecer em Tulsa para ver o resultado dessa calamidade.

Passaram-se dias sem que ocorresse nenhuma mudança significativa nessa situação. Todos pareciam nervosos e indecisos quanto ao que fazer. Irmão Harrison tinha escrito para mim, pedindo que eu me juntasse a ele em Langston. Estava me preparando para ir quando o rev. H. T. S. Johnson, da Comissão Inter-Racial, me encarregou de atuar como relatora da organização.

Esta provou ser uma ocupação interessante, pois me ajudou a esquecer meus problemas por solidariedade às pessoas com as quais eu travava diariamente. Até então eu não havia usado o crachá. Uma amiga e eu tínhamos trabalhado na parte alta da cidade num dia muito chuvoso e, ao voltarmos para casa, fomos abordadas por um guarda que exigiu ver nossos cartões. Posto que não tínhamos crachá, nos foi requisitado que voltássemos à prefeitura para obtê-los. Causou-nos perplexidade saber que, para isso, era necessário o atestado de uma pessoa branca, independentemente da condição dela antes do problema. Nós fomos à prefeitura. Lá encontrei o prof. Gregg, secretário executivo da ACM. Explicamos nossa situação; ele, por sua vez, se ofereceu para nos ajudar. Explicou a um policial no comando que eu trabalhava na ACM, até lhe mostrou o cheque referente a três meses de trabalho que havia acabado de me entregar. O cheque fora assinado pelo secretário executivo da ACM Central, na parte alta, mas não serviu de passaporte para obtermos o crachá. Como eu nunca tinha trabalhado para qualquer pessoa branca em Tulsa, estava perdida quanto ao que fazer. Foi uma demonstração evidente de que a palavra de um homem branco era a única exigência para obter um cartão. Fiquei pensando no que fazer e, então, me lembrei de uma empresa e liguei para lá. Eles vieram, me identificaram e isso foi o suficiente. Obtive meu cartão sem maiores problemas.

O PRONTO-SOCORRO

As principais salas da escola Booker Washington foram convertidas em pronto-socorro. Nunca pude me esquecer do que vi em minha primeira visita. Havia homens feridos de todas as formas concebíveis, como soldados depois de uma grande batalha. Alguns com membros amputados, rosto queimado, sem um dos olhos ou com a cabeça enfaixada. Havia mulheres com os nervos em frangalhos e alguns casos de confinamento. Eu estava em um hospital na França? Não, em Tulsa. Uma mãe foi tão insensata a ponto de dar à filha recém-nascida o nome de "JUNE RIOT".*

* Literalmente, Distúrbio de Junho. (N.T.)

COMO RELATORA

Durante as semanas em que trabalhei como relatora, entrevistei muitas pessoas e não houve duas que tivessem compartilhado a mesma experiência. Fui informada de que os mortos tinham sido removidos com tanta rapidez naquela noite e no dia seguinte que era impossível ter um registro exato de mortos e feridos. Também fiquei sabendo que o inimigo estava tão bem preparado quanto um exército conquistador, indo para uma batalha com ambulâncias e caminhões para recolher e cuidar de mortos e feridos.

Uma senhora disse-me ter visto uma mulher ferida, não mortalmente, bem a sua frente, fugindo para se salvar; outra foi vista dando à luz antes de chegar a um lugar seguro.

Todas as pessoas com que me encontrei teceram loas em voz alta às tropas estaduais que tão corajosamente tinham ido resgatar a área atingida de Tulsa. Elas não foram parciais ao acalmar o distúrbio. É crença geral que, se tivessem entrado em cena mais cedo, muitas vidas e propriedades valiosas teriam sido salvas. Da mesma forma que o elogio às tropas estaduais estava na boca do povo, também houve a denúncia generalizada aos membros da guarda local. Muitos afirmaram que eles os enganavam para tirá-los de suas casas com a promessa de que, se agissem pacificamente, receberiam proteção e suas propriedades seriam salvas. Eles se renderam e foram levados para os vários locais seguros onde receberam os cuidados daquele bondoso anjo da misericórdia: a Cruz Vermelha. Quando voltaram ao que antes tinha sido seu lar, com esperanças fundadas nas promessas da guarda local, qual não foi sua decepção ao descobrirem que todas as suas posses tinham sido roubadas ou reduzidas a cinzas. (Ver Testemunhos.)

A essa altura, um grupo de negros leais convocou um encontro na Primeira Igreja Batista e organizou a COMISSÃO DE APOIO AOS CIDADÃOS DE COR e o CONSELHO DE PREVIDÊNCIA DO EAST END. Antes que a fumaça do massacre tivesse se esvanecido, o conselho municipal tinha se reunido e obtido sucesso em aprovar uma nova portaria sobre incêndios para evitar que essas pobres pessoas sem-teto fossem obrigadas a reconstruir seus lares. Esses homens trabalhavam com devoção e enfrentaram muitas batalhas para defender seus semelhantes. Eles cuidaram das necessidades das pessoas tanto física quanto juridicamente, dando o melhor de suas habilidades, com a ajuda do mundo exterior. Foi graças à inspiração propiciada por esse conselho, trabalhando em harmonia com a Cruz Vermelha, que a Greenwood foi hoje reconstruída.

LIÇÕES DO MASSACRE

O Massacre de Tulsa ensinou grandes lições a todos nós, dissipou falsas crenças e nos revelou verdades às quais estávamos cegos. A lição mais importante que me ensinou é que o amor da raça é o sentimento mais profundamente arraigado em nosso ser e que nenhuma raça pode ostentar superioridade perante seu membro mais humilde.

Alguns de nosso grupo que foram abençoados com privilégios educacionais ou financeiros com frequência tendem a se esquecer de nós mesmos à medida que sentem sua superioridade em relação aos menos afortunados, mas, quando um teste fundamental como o Massacre de Tulsa ocorre, ele serve para nos lembrar de que somos todos de uma só raça; de que demônios humanos como os que ganharam domínio total em 1º de junho não têm respeito pela pessoa. Cada negro recebeu o mesmo tratamento, a despeito de seu nível educacional ou de outros privilégios. Naquele dia, um negro era um negro, e todos foram obrigados a marchar com as mãos para cima por muitos quarteirões. O que isso nos ensina? Deveria nos ensinar: "Tome Coragem, Erga a Cabeça e Estenda a Mão", e lembre-se de que não podemos nos erguer acima do mais fraco de nossos irmãos.

"Confortem os desanimados, auxiliem os fracos." I Tessalonicenses 5:14

Testemunhos dos distúrbios de Tulsa

TULSA, OKLAHOMA, 20 DE JUNHO DE 1921

A primeira informação que recebi sobre os distúrbios chegou por volta das nove e meia da noite de 31 de maio de 1921. Eu estava assistindo a uma peça montada pela turma mais adiantada. Um garotinho se aproximou de mim, quase sem fôlego, e exclamou: "Estão tentando linchar um homem de cor no centro da cidade e as pessoas de cor estão lá para evitar".

O encontro terminou com certa confusão e todos foram para casa. Nós ficamos sentados até por volta de meia-noite e então resolvemos nos deitar. Não deu para dormir muito porque o barulho dos tiros nos manteve acordados a noite toda.

Por volta das cinco da manhã, ouvimos o som de um apito bastante peculiar. Pareceu ser um sinal para um ataque organizado pelos brancos, pois imediatamente teve início um terrível tiroteio. Aviões também começaram a voar bem baixo por ali; o que estavam fazendo, não sei dizer, pois eu estava em meu quarto.

Em torno das cinco e meia, alguém ligou para nossa casa e disse que os homens não deviam lutar, pois a guarda local estava inspecionando as casas e procurando por eles, mas não iriam machucar ninguém. Minutos depois, apareceram alguns homens com armas na cintura e mandaram que todos os homens saíssem da casa. Eu saí imediatamente. Mandaram que eu levantasse as mãos e três ou quatro deles me revistaram. Disseram-me para entrar numa fila na rua. Pedi-lhes que me deixassem apanhar meu chapéu e um par de sapatos melhor, mas eles recusaram e, autoritariamente, me mandaram entrar na fila. Também se recusaram a deixar que um dos homens calçasse qualquer sapato. Depois de ordenar em fila uns trinta ou quarenta homens, eles nos levaram correndo pelas ruas até o Centro de Convenções, forçando-nos enquanto isso a permanecer de mãos para cima. Enquanto corríamos, alguns desses delinquentes chutavam nossos calcanhares e ameaçavam os que tinham dificuldade em manter o passo. Lançaram-se com um carro sobre nosso grupo e atingiram dois ou três homens.

Quando chegamos ao Centro de Convenções, fomos mais uma vez revistados. As pessoas foram levadas para dentro como gado. Os doentes e feridos foram despejados em frente ao prédio e permaneceram por horas sem assistência.

James T. A. West,
professor de uma escola secundária

✷

TULSA, OKLAHOMA, 21 DE JUNHO DE 1921

Hóspedes chegaram e me disseram que os brancos estavam incendiando as casas de pessoas de cor na Archer Street. Então ouvi o som de tiros, que continuou até de manhã cedo, quando todos fugiram, deixando apenas outros dois homens e eu para trás. Mais tarde chegaram os guardas e ordenaram a um dos homens que saísse, mas ele respondeu, "Levei um tiro", e caiu dentro de minha casa, atingido nas costas. Eu saí e tentei salvar algumas coisas, mas não consegui.

Minhas maiores perdas foram minha linda casa e a Bíblia de minha família. Tenho 92 anos de idade, de modo que eles não me incomodaram. Saí de Easton em direção à Frankfort Street, corri sobre a tubulação e quase fui vencido pela fumaça, porém acabei sendo resgatado e conduzido ao Centro de Convenções. A sra. Johnson (branca), de Saint Louis, levou-me à igreja católica. Lá permaneci até por volta das duas horas, quando fui conduzido pela Cruz Vermelha ao Parque de Exposições e finalmente trazido de volta à igreja metodista. Uma senhora de cor disse-me para ir a sua casa e sobreviver, mas, quando lá chegamos, a casa tinha virado cinzas. Então o sr. Williams (de cor), de Saint Louis, encarregou-se de mim e depois fui levado novamente à Cruz Vermelha e mantido fora do Parque. Aí fui encaminhado a um homem branco que iria tomar conta de mim. Algumas pessoas de cor foram perguntar sobre meu estado, entre elas uma amiga muito querida. Como não tenho filhos nem esposa, tinha planejado dar-lhe minha valiosa propriedade como herança, mesmo antes de isso acontecer, pois ela me tratava como um pai. Não deixaram que ela me levasse, mas, como me deixaram sair para ficar com o homem branco, acho que deveria ir para a casa dela, já que gostaria de que minha propriedade ficasse para uma pessoa de minha própria raça. Esse foi o pior cenário que já testemunhei em meus 92 anos.

Jack Thomas

✷

TULSA, OKLAHOMA, 22 DE JUNHO DE 1921

Na noite dos Distúrbios tivemos nossa aula de estudos bíblicos, como de praxe. Terminada a aula, e tarde da noite, ouvimos um tiroteio no centro da cidade, o que só podíamos interpretar como um sinal de que havia algo errado. Fomos para casa e para a cama ouvindo tiroteios espasmódicos, o que nos convenceu claramente de que havia um problema.

De manhã, o tiroteio foi mais grave em frente a nossa casa. Os brancos atiravam em pessoas de cor que, aparentemente desconhecendo o problema, estavam a caminho do trabalho e ao passarem por ali foram recebidas com uma saraivada de tiros. Permanecemos em casa até chegarem umas pessoas e nos avisarem que, se quiséssemos proteção, era melhor irmos imediatamente para o Centro de Convenções. Foi o que fizemos prontamente. Por volta das duas horas fomos chamados por uns amigos brancos e levados de volta para casa, onde encontramos tudo consideravelmente bagunçado, mas nenhum prejuízo grave.

Encontramos um senhor branco muito gentil tomando conta da casa, e ele nos contou que, juntamente com seu filho e alguns amigos brancos da vizinhança, tinha impedido que provocassem maiores danos a nossa residência. Disseram que estavam prontos para passar a noite inteira conosco, se considerássemos necessário, a fim de garantir que não fôssemos molestados.

Minha maior perda foi o prédio de dois andares na Greenwood Street. (Evidentemente, perdemos algumas roupas, sapatos, dinheiro e outras coisas da casa que não considerávamos de valor.)

Para evitar essa violência das turbas, recomendo a você a leitura de minhas declarações ao *Oklahoma Sun*, de Tulsa; ao

Black Dispatch, de Oklahoma City; e ao *Muskogee Cimeter*, de Muskogee. É a melhor solução que conheço para distúrbios raciais e violência de rua.

Richard J. Hill,
advogado membro da Associação
Internacional de Estudantes da Bíblia

✷

TULSA, OKLAHOMA, 22 DE JUNHO DE 1921

Na noite de terça-feira, por volta das nove e meia, soube que eles estavam indo linchar um garoto de cor, mas minha família e eu permanecemos em casa. Então, ouvimos os tiros. Corri para perto de minha filha, e aí um homem e sua família passaram correndo e ele disse: "Os brancos incendiaram minha casa e mais de 7 mil dólares". Sua esposa vestia uma só peça de roupa. Depois chegou um grupo que contou que estavam queimando e matando enquanto passavam (queriam dizer que os brancos estavam matando e queimando). Corri para trás de um armário, mas eles estavam reunidos tão perto da gente que eu corri para a casinha, do lado de fora, e comecei a orar. Então, a turba de brancos ordenou que todos saíssem da casa; como as pessoas demoraram para fazer isso, os delinquentes abriram fogo. Corri um pouco mais e vi cerca de quinze brancos correndo atrás de um homem indefeso — e acabaram atirando nele, mas não o acertaram. Subi a colina levando uma pequena muda de roupas de vestir e de cama.

Fiquei longe de minha filha e minha neta até o fim da tarde de quarta-feira. Vi umas cinco mulheres em situação crítica. Na igreja presbiteriana, vi umas quatro criancinhas que estavam perdidas de suas mães. Idosos e jovens tiveram de se amontoar em caminhões e, ao passarmos pela cidade, pudemos ver homens aplaudindo, regozijando-se por nossa condição.

Sra. Roseatter Moore

✶

TULSA, OKLAHOMA, 22 DE JUNHO DE 1921

Causa Imediata: Saiu uma reportagem no *Tulsa Tribune* afirmando haver ameaças de linchamento de um negro em retaliação a uma tentativa de agressão criminosa a uma jovem branca. A acusação não tinha qualquer base ou fundamento.

Segunda: Homens brancos que leram essa reportagem reuniram-se em frente à cadeia para tomar parte no linchamento, e os negros, ao ver esse ajuntamento, concluíram corretamente qual era o objetivo deles e, consequentemente, se armaram e entraram em cena oferecendo apoio e ajuda ao xerife. Enquanto isso ocorria, teve início uma luta entre brancos e negros, que resultou em vários integrantes dos dois grupos atingidos por tiros. Então, os negros saíram da frente do Tribunal e foram para o East End, deixando um vigia em cada entrada do bairro negro.

Tiros erráticos de ambos os lados prosseguiram por várias horas, até que os negros, acreditando que o perigo de os brancos invadirem tinha acabado, voltaram para suas casas. Durante esse tempo, porém, e sem que eles soubessem, estavam em curso planos de uma invasão armada do bairro negro por brancos protegidos pelas polícias do município e do condado. O objetivo declarado dessa invasão era desarmar os negros e encurralá-los ou prendê-los para não causarem mais prejuízos.

Eles (os brancos) fizeram isso e, na maioria dos casos, não encontraram resistência, com exceção daqueles em que não foram apresentados motivos pelos brancos para invadir casas de negros, e essa era a regra geral. O negro não sabia se estavam mandando que saísse para ser morto ou o quê, pois tiros eram tudo o que se podia ver ou ouvir. Caso se rendesse sem objeções, era levado para a cadeia, mas, se ousasse questionar os invasores, era abatido.

Depois de todos os homens terem sido encurralados, mulheres e crianças foram mandadas ao Parque Público, onde um guarda armado as protegeria, assim como outro guarda iria proteger suas casas.

Isso pôs fim aos Distúrbios, pelo menos do ponto de vista do envolvimento dos negros.

Então os distúrbios chegaram ao grande, impensável, inenarrável clímax: os brancos entraram nas casas recém-desocupadas, levaram tudo o que havia de valor, abriram cofres, destruíram todos os papéis e documentos jurídicos, e então atearam fogo aos prédios para ocultar o crime.

Depois, não satisfeitos com o resultado, forjaram acusações contra todos os negros em posições de liderança na tentativa de prendê-los e intimidar os outros, dizendo que toda a culpa cabia aos negros instruídos.

A verdade é que negros instruídos jamais causaram problemas ou atritos, mas foi permitido que crescesse uma massa de brancos e negros sem instrução que viviam da esperteza, e a interconexão entre esses brancos e negros é que sempre foi o ponto de partida para a maioria de nossos problemas.

P. S. Thompson,
químico farmacêutico presidente da
Associação de Medicina e Odontologia de Tulsa

✷

TULSA, OKLAHOMA, 22 DE JUNHO DE 1921

Causas: Preconceitos raciais e falta de confiança nacional na aplicação da lei. Essa falta de confiança na aplicação da lei faz com que o negro sinta que é necessário que proteja a si mesmo, na maioria dos casos, da ameaça de linchamento. Se o indivíduo for um membro de nosso grupo, geralmente será linchado, mesmo com a promessa de ter garantida a proteção da lei, e, se pertencer ao outro grupo, ele não será linchado se receber tal proteção.

Os linchadores, com frequência, não apenas são culpados, mas também se vingam dos inocentes. Assim, a circulação de uma reportagem sobre o linchamento de membros de nosso grupo é um sinal para estar preparado para a autodefesa. É como uma faísca na gasolina, é geralmente incontrolável e não exige uma liderança para agregar suas forças. Porém, muitas vezes, é necessário manter a cabeça fria para evitar uma conflagração e catástrofe. Isso foi até usado nos Distúrbios de Tulsa.

Primeiro, a reportagem sobre o linchamento, o sinal para as armas, a promessa de proteção, a rápida difusão da ilegalidade, as cabeças frias deixando de agir com suficiente firmeza para evitar a catástrofe.

Logo depois do amanhecer do dia 1º de junho de 1921, uma quarta-feira, recebi um telefonema pedindo que eu fosse ao hospital para cuidar de dois homens feridos. Eu me vesti rapidamente e iniciei meu trajeto rumo ao hospital. Logo que abri a porta, dispararam um tiro de um morro próximo e a bala acertou minha perna. Fechei a porta. Alguns momentos depois, minha mulher abriu ligeiramente a porta e dispararam outro tiro. Dessa vez o tiro atingiu a varanda. Fechamos a porta e minha mulher disse: "Doutor, vamos embora, nossas vidas valem mais que tudo". Deixei a maleta no chão da sala, minha mulher e minha sobrinha se vestiram correndo, fechamos a porta e partimos.

Logo que saímos, ouvimos um apito soar. Os tiros vinham de uma metralhadora na colina Stand Pipe, perto de minha residência, e aviões começaram a voar sobre nós, em alguns casos bem perto do chão. Ouvimos uma mulher gritando: "Cuidado com os aviões, eles estão atirando na gente". Os tiros continuaram a ser disparados em rápida sucessão por armas de elevada potência nas proximidades da colina. Continuamos fugindo até estarmos a três quilômetros a nordeste da cidade. Então chegamos à casa de um amigo. Pouco depois voltaram os tiros, as balas continuaram a espocar. O fogo se alastrou rapidamente, vimos que ele se espalhava por todo o nosso distrito ao sul da colina.

Por volta das dez horas homens chegaram em carros e nos disseram que as tropas estavam se aproximando. Logo depois vimos homens com uniformes militares em automóveis cercando as pessoas dizendo-lhes para voltarem, que estavam a salvo, e ao retornarmos, minha mulher e minha sobrinha foram orientadas a ir para a rua Greenwood, enquanto fui revistado e me disseram para ir em outra direção, rumo ao Centro de Convenções, onde fui obrigado a marchar com as mãos para cima e sem o chapéu. Fui revistado com as mãos para cima por dois ou três diferentes grupos de oficiais. Cheguei ao Centro de Convenções por volta das dez e meia. No caminho rumo ao Centro de Convenções, possivelmente trinta minutos após a chegada das tropas, havia apenas um pequeno incêndio ao norte da colina, mas no dia seguinte, quando vi a área destruída, havia centenas de casas incendiadas depois de os soldados cercarem os homens e os levarem para o Centro de Convenções.

Eu fiquei lá até ser libertado e enviado, ao lado de um funcionário da Cruz Vermelha e do médico do condado, ao hospital Morning Side para ajudar a cuidar dos feridos. Fui até minha casa para ver se fora destruída e pegar medicamentos.

Chegando lá, vi meu piano e todos os meus elegantes móveis empilhados na rua. Meu cofre tinha sido aberto, todo o meu dinheiro fora roubado. Toda a minha prataria, minhas vidraças lapidadas, todas as roupas da família e tudo o que havia de valor tinha sido retirado, até mesmo a Bíblia da família. Minhas luminárias estavam quebradas, assim como as luzes das janelas e os vidros das portas, as louças que não foram roubadas foram destruídas, o piso estava literalmente coberto de vidro, até o telefone tinha sido arrancado da parede. No porão encontramos duas cubas de vidro quebradas no chão. Meu carro foi roubado e a maior parte de meus grandes tapetes foi levada. Perdi dezessete casas que me rendiam, em média, mais de 425 dólares por mês.

Trabalhei heroicamente para a Cruz Vermelha e, sendo médico assistente do condado, meu trabalho era duas vezes mais pesado. Nos três primeiros dias, não tive tempo de arrumar minha casa, exceto para levar a mobília para a varanda. Trabalhei arduamente durante três ou quatro dias após os Distúrbios e quase entrei em colapso. Dormimos ao ar livre num espaço de eventos sem nem uma cama na primeira noite, no chão duro; passamos a noite seguinte ou mais duas no prédio da escola e depois voltamos para casa e dormimos com as portas e janelas quebradas. Nesse meio-tempo, fui designado para um sanatório, onde eram tratadas pessoas com ferimentos leves. Atendi vários casos sem ajuda alguma e também, nesse meio-tempo, presenciei uma série de chamadas de fora da cidade para a Cruz Vermelha.

Lá pela quarta noite após os distúrbios recebi uma chamada para ir ao espaço de eventos, onde havia um grande número de refugiados negros reunidos. Minha mulher, nervosa e padecendo de outras enfermidades devido aos Distúrbios, implorou que eu ficasse com ela porque estava gravemente doente. Eu pedi para ser dispensado porque já tinha atendido duas chamadas naquela mesma noite. Na noite seguinte, pediram-me que fosse ao espaço de eventos. Não tendo recuperado minhas forças o suficiente e por ter trabalhado duro durante o dia, perguntei se poderiam encontrar outro médico em meu lugar, e assim o fizeram. Continuei trabalhando nesse sanatório no atendimento de pessoas levemente feridas e também tratei alguns casos na cidade. Para minha surpresa, cerca de uma semana ou dez dias depois, li no jornal afirmações de que eu me recusara a trabalhar gratuitamente para a Cruz Vermelha. E, por esse motivo, a Associação Médica dos brancos decidiu interromper o pagamento de um subsídio de 25 dólares por semana. Um dia antes disso, porém, fui acusado de liderar um distúrbio que ocorrera dois anos antes; de ir à delegacia e exigir ver se estava a salvo um preso que fora ameaçado de linchamento. Eu nada sabia sobre essa triste ocorrência até a manhã seguinte e por dois anos após esse evento ter ocorrido. Embora muitos me conhecessem bem, meu nome nunca fora mencionado.

Parece que várias coisas foram feitas e ditas para desacreditar e eliminar a influência dos homens que têm grandes propriedades neste distrito incendiado.

Dr. R. T. Bridgewater,
médico assistente do condado

CATORZE ANOS EM TULSA

TULSA, OKLAHOMA, 22 DE JUNHO DE 1921

Nestes anos tenho notado um ódio racial crescente por parte dos brancos de classe baixa por causa da prosperidade e da independência dos negros; também por negros exercerem a função de porteiros, que eles afirmam estar associada a mulheres brancas. E esse ódio foi a imprensa amarela* a principal responsável por promover.

Depois vem a falha na aplicação da lei tanto na cidade quanto no condado. A falta de regra para ambas as raças era tão latente que se tornou perigoso para os cidadãos de bem protestarem muito. O "Apoio" ao mal comum se tornou uma espécie de criadouro para a ilegalidade, em que brancos e homens de cor desse tipo se encontravam e socializavam. Essas forças perderam qualquer restrição, esbaldaram-se no fingimento e assim varreram para baixo o bom cidadão com todo o ódio e a vingança que estavam fervendo há anos. Assim, os inocentes sofreram tanto, que mal pensaram em seus lares sendo incendiados.

A maioria das pessoas, como eu, permaneceu em casa, na expectativa momentânea de poder contar com a proteção da guarda local ou das tropas estaduais, mas em vez de nos prote-

* Termo originado pela disputa entre dois jornais, *New York World* e *The New York Journal*, pelo direito de veiculação da tirinha nomeada *Yellow kid*, considerada a primeira produção do gênero. A tirinha, que marca o início do uso de cores em jornais, levava amarelo no título, pois essa era uma inovação tecnológica com grande potencial de atrair leitores. A disputa por sua veiculação, somada ao barateamento dos jornais, está na base da adoção de estratégias que visavam atrair mais a atenção de leitores e leitoras, como a veiculação de manchetes apelativas, notícias falsas e práticas de incitação de violências e atos racistas, como os linchamentos, por exemplo. Esses jornais, então, passam a ser identificados como imprensa amarela.

ger, eles (a guarda local) se juntaram aos criminosos para atirar nas casas dos cidadãos de bem. Essa foi minha experiência; então, depois de perceber que não conseguiria me proteger deles, levei minha família e alguns amigos em meu carro e dirigi por quilômetros em direção ao interior, onde cruzamos com policiais estaduais que foram perfeitos cavalheiros e nos trataram como cidadãos dos verdadeiros Estados Unidos.

E. A. Loupe,
encanador

✷

TULSA, OKLAHOMA, 23 DE JUNHO DE 1921

Por volta das nove e meia da noite de terça-feira, em 31 de maio de 1921, fiquei sabendo das armas e pensei que fosse um sinal de incêndio. Só depois descobri qual era o problema. Fiquei presa em meu quarto e, após me arrumar, fui até a porta e vi pessoas correndo de um lado para o outro. Dirigi-me a um homem e perguntei qual era o problema e, finalmente, meu vizinho me disse que os brancos estavam indo linchar um homem. Vesti a garotinha que estava comigo naquele momento e fui até a casa de um vizinho, permaneci lá até por volta de uma hora da manhã e depois voltei para minha residência. Tentei dormir, mas não consegui, então me levantei por volta das quatro e meia e vi pessoas que vinham correndo da Greenwood e daquela área da cidade. Um grupo de brancos postados na colina atirou nelas; algumas tombavam, outras lutavam por segurança. Aí me dei conta do perigo que corria minha mãe inválida, que já estava debilitada havia quatro anos. Ela morava a uns quatro quarteirões de distância de mim, na direção de onde as pessoas fugiam.

Cheguei até ela em meio a uma saraivada de balas. Minhas irmãs e eu a levantamos, a colocamos numa cama de campanha e nós três a carregamos enquanto a outra levava um saco de roupas; assim levamos nossa mãe por seis quarteirões, com balas estourando de todos os lados. Meia dúzia de bandos de desordeiros nos pararam, perguntaram sobre homens e armas, nos fizeram levantar as mãos. Havia garotos que tinham cerca de dez anos, todos com armas. Eles entravam nas casas, pegavam o que queriam e depois as incendiavam.

Nossos homens eram desarmados assim que os capturavam. Por volta das onze horas, o inimigo pegou minha mãe inválida e uma de minhas irmãs, supostamente a fim de enviá-las, por segurança, ao Centro de Convenções. Minha outra irmã e eu ficamos onde estávamos até a uma hora, quando chegou um caminhão e me levou para o Centro de Convenções, onde permaneci até por volta das duas horas. Ao entrar ali, não consegui encontrar minha mãe, de modo que fui procurá-la. Com a ajuda da Cruz Vermelha eu a encontrei na igreja Metodista do Norte. Isso me tranquilizou até a quinta-feira seguinte, quando eu saí para ver se ainda tinha um lar. Das três casas que me rendiam 45 dólares de aluguel, só encontrei um pequeno e precário barraco. Voltei para encontrar minha mãe, cuidei dela até a manhã de domingo e, nesse meio-tempo, tentei obter um passe para enviá-la a outro lugar, mas não consegui, então juntei as poucas moedas que tinha para tirá-la dali. Ela permaneceu inconsciente por duas semanas e depois faleceu. Quando estávamos tentando levá-la para um lugar seguro, tiros vindos de um avião mataram um homem em nosso caminho.

Sinto que esse acontecimento terrível arruinou todos nós.

Sra. Carrie Kinlaw

✷

TULSA, OKLAHOMA, 23 DE JUNHO DE 1921

Na noite dos Distúrbios, eu estava morando na Hill Street, 623. Minha mulher estava doente, vinha sendo mantida em repouso havia apenas três dias. Estava sob os cuidados do dr. Jackson, que deveria ter ligado às oito horas da manhã seguinte. Ouvi o tiroteio a noite inteira. De manhã cedo, os brancos começaram a atirar em minha casa, de modo que foi preciso tentar encontrar um lugar seguro para levar minha esposa. Quando voltei, meus filhos a tinham levado para a casa de um vizinho. Àquela altura estavam saqueando e incendiando minha casa. Tínhamos dois baús grandes que levaram para a rua e abriram, pegaram o que quiseram e atearam fogo ao resto.

O restante de minha família, juntamente com minha mulher, recorreu aos soldados em busca de proteção. Ela estava tão debilitada que desmaiou. Eles estavam me cercando, de modo que peguei um barril de água, empurrei-o até um bosque de pessegueiros e me escondi nele até passar a tormenta.

Perdi cerca de 2 500 dólares em propriedades.

J. P. Hughs

✷

TULSA, OKLAHOMA, 24 DE JUNHO DE 1921

Eu morava na Williams Street e estava em casa na noite do dia 31. Fui à rua e encontrei cerca de sete mulheres procurando refúgio, vindas da Archer, da Greenwood e daquela área da cidade. Tomei conta delas em minha casa durante toda a noite.

Quando amanheceu, e o tiroteio recomeçou, elas voltaram a correr em busca de segurança, deixando para trás minha mulher, meus três filhos — um bebê e duas crianças um pouco mais velhas — e eu. Continuei tomando conta de minha família até por volta das oito horas da manhã, quando meus dois filhos mais velhos, uma menina e um menino, fugiram rumo ao norte, deixando minha mulher, o bebê e eu. Como minha mulher não estava bem, permaneci em casa em meio à saraivada de balas que vinha da colina. Abrimos a casa, levantamos as cortinas e ficamos à vista tanto quanto era possível em meio às balas — iríamos aparecer na varanda. Fazendo o melhor que podia, mantive todos os homens fora da casa. Então um bando de brancos desceu o morro. Minha mulher e eu nos aventuramos no meio do tiroteio, cruzamos com eles a cerca de um quarteirão de distância e lhes disse que minha mulher estava doente e eu não queria abandoná-la. Fizeram-me erguer os braços e me revistaram. Eu estava com a cabeça descoberta — não me deixaram sequer pegar meu chapéu, mas minha mulher o jogou para mim. O tenente que liderava o grupo garantiu-me que ela e o bebê estariam a salvo e que minha casa não seria atacada. Levaram-me ao topo do monte e lá fui xingado de todas as maneiras possíveis por garotos de dez anos a homens de sessenta. Depois fui conduzido a um caminhão e transportado para a esquina das ruas Boulder e Brady. Lá, tiraram-me do caminhão e mais uma vez me revistaram, me amaldiçoaram, me chamaram de todos os nomes na linguagem do "Tire esse chapéu", "Levante os braços", "Seja submisso e obedeça às ordens". Até garotos de dez anos. Eu obedeci.

Depois de entrar no Centro de Convenções, fui recebido com um tratamento muito cortês, pois era bem conhecido entre os brancos de classe alta. Nesse intervalo, minha mulher e eu fomos separados. Como ela estava doente, eles a levaram para o parque junto com o bebê. Eu estava ansioso por encontrá-la, então liguei para o meu empregador e ele veio me soltar, levou-me num caminhão e saí à procura de minha esposa. No Parque de Beisebol descobri que minha filha tivera um ataque epiléptico e fora levada a um hospital.

Num frenesi de desespero, minha missão estava apenas começando, mas, com a ajuda da Cruz Vermelha "enviada por Deus", foi possível atender as minhas necessidades quanto aos primeiros socorros ao corpo, porém não de satisfação da mente. Encontrei minha mulher e o bebê a salvo na igreja metodista da Fifth Street.

Se tivéssemos tido a cooperação total dos policiais de Tulsa, eles poderiam ter evitado todo esse desastre, e não aproveitar o momento para desmoralizar nossos negócios industriais e nossos belos lares, mas em vez de proteção se tratava, aparentemente, de destruir e eliminar todos os negócios e as boas residências dos negros.

A. J. Newman

TULSA, OKLAHOMA, 24 DE JUNHO DE 1921

Na terça-feira à noite ouvimos os tiros e vários amigos vieram a minha casa em busca de abrigo até por volta das duas horas. No início da manhã seguinte, os brancos estavam no alto da colina com metralhadoras e rifles de alta potência, atirando em nosso povo, que tentava fugir em busca de segurança.

Por volta das sete horas, os brancos ou agentes da guarda local chegaram em busca dos homens. Então levaram mulheres e crianças, prometendo-lhes proteção. Depois de esvaziarem as casas, um bando de brancos entrava e saqueava. Até mulheres com sacolas de compras entravam, abriam gavetas e levavam todo tipo de coisas finas, de roupas a utensílios e joias. Homens levavam para fora a mobília, pronunciando, ao fazê-lo, palavras ofensivas como "Esses m... negros têm coisas melhores do que um monte de brancos". Fiquei em minha casa até que ela foi atingida pelos tiros, e então corri para o lado da colina em que havia uma multidão de brancos; mulheres, homens e crianças, e até bebês, observando e fazendo comentários sobre os procedimentos da turba. Alguns diziam que "O município devia ser processado por vender aos m... negros propriedades tão próximas da cidade". Uma mulher notou a Primeira Igreja Batista, um belo edifício localizado perto de um distrito residencial branco. Ela disse: "Vejam só, uma igreja de crioulos,* por que ainda não estão botando fogo?". A resposta foi: "Fica num distrito branco".

Vi um senhor idoso de cor, sr. Oliver, que ficara com o dr. Jackson. Eu o saudei e pedi que me ajudasse com minha bagagem de mão. Ele me contou que o dr. Jackson tinha sido morto com as mãos para cima. Disse que os delinquentes tinham mandado que ele saísse de sua bela casa. Ele saiu com os braços erguidos e disse: "Aqui estou, rapazes, não atirem". Mas assim mesmo atiraram. A essa altura chegaram alguns agentes da guarda local e mandaram que o sr. Oliver os acompanhasse. Enquanto ele o fazia, houve tiros, os agentes foram atingidos e o sr. Oliver se escondeu atrás de um poste para salvar sua vida. Então ele foi até os agentes e eles o revistaram, de braços erguidos, tomaram-lhe cinquenta dólares, que nunca mais devolveram, e o conduziram ao Centro de Convenções.

* No original, *nigger*. Considerada a maior ofensa na língua inglesa, essa palavra não tem equivalente em português. (N.T.)

Então a horda de delinquentes desceu até a Detroit, saqueando e incendiando aquelas belas residências, chegando a arrancar os telefones das paredes. As metralhadoras apenas destruíram as paredes das casas. O corpo de bombeiros chegou para proteger as casas dos brancos do lado oeste da rua Detroit, enquanto no lado leste, homens com tochas e mulheres com sacolas continuavam saqueando e incendiando as casas dos negros, e aviões passavam por cima, alguns voando muito baixo.

Acompanhei essa terrível destruição de onde eu estava sentado, na encosta da colina. Enquanto via minha moderna casa de dez quartos com porão virar cinzas, um senhor branco se aproximou. Chamando-me de "Tia", ele disse: "Que coisa horrível, não é?", e me ofereceu um dólar para eu comprar meu jantar.

Nome omitido a pedido

✷

TULSA, OKLAHOMA, 24 DE JUNHO DE 1921

Na manhã do dia 1º de junho, esbarrei com a turba de brancos à porta de onde eu estava. Eles me levaram com as mãos para cima até o Centro de Convenções. De lá, fui levado ao estádio e vi muitos homens e mulheres que estavam desabrigados. Lá dormi sobre dois bancos.

Saí do estádio na manhã seguinte e fui procurar minha mulher, que estava na companhia de alguns amigos. Então comprei uma cadeira de dobrar, um afiador e uma navalha, fui para a Greenwood em meio às cinzas e ruínas e abri uma barbearia.

Depois de viver em uma casa moderna, de tijolos, com seis quartos e porão, agora moro no que era meu depósito de carvão. De uma barbearia com cinco cadeiras branquíssimas, quatro lavabos, barbeadores e ventiladores elétricos, dois lavatórios e prateleiras de xampus, quatro funcionários, um estande duplo de mármore, um porteiro e uma renda acima de 500 ou 600 dólares por mês a uma navalha, um afiador e uma cadeira dobrável na calçada.

Sinto que a corrupção política é a causa de todo esse problema, pois, se as autoridades tivessem tomado as medidas necessárias a tempo, tudo isso poderia ter sido evitado.

C. L. Netherland,
dono de uma barbearia

✷

TULSA, OKLAHOMA, 22 DE JUNHO DE 1921

A QUEM INTERESSAR POSSA: A catástrofe que ocorreu em Tulsa na noite de 31 de maio para 1º de junho de 1921 foi ultrajante. Foi abominável e está além de nossa capacidade de descrevê-la, mas pediram que déssemos nossa opinião.

Por estarmos muito ocupados com nosso negócio, não prestamos atenção aos rumores que estavam circulando a respeito de um plano para linchar um garoto negro supostamente acusado de atacar uma jovem branca, como diz a história.

Na quarta-feira, 1º de junho, no início da manhã em que a batalha estava quente, fiquei olhando pela janela de meu quarto e vi agentes brancos (da guarda local) invadirem lojas de todos os tipos e levarem o que nelas havia para caminhões, partindo em seguida para o distrito branco da cidade. Estamos convictos de que alguns desses mantimentos e produtos secos agora estão sendo vendidos para nós por vários ambulantes brancos.

Quando levados para o Centro de Convenções, fomos tratados muito bem. Acreditamos que o problema poderia ter sido evitado se brancos e negros da classe mais alta tivessem se reunido e acertado as coisas.

Não queremos ser radicais, como um grande número de jornais e púlpitos brancos têm sido ao apontar os culpados. O argumento se baseia na igualdade racial, a qual o negro nunca almejou nem buscou alcançar. Vamos, portanto, evitar esse ataque.

Igualdade racial significa apenas igualdade nas condições masculina e feminina. A solução, como a vemos, é "Que o negro obedeça aos Dez Mandamentos, e o branco, à Regra de Ouro,* então Efraim não vai irritar Judas e Judas não vai irritar Efraim". Não estamos dando nossa opinião completa neste texto, pois estamos preparando um panfleto pessoal que tratará de todos os tipos de Distúrbios que ocorreram aqui. Não podemos dizer aqui quando estará pronto.

M. D. Russell,
funcionário de uma agência de câmbio

✷

Na noite do dia 31 de maio de 1921, uma terça-feira, fui chamado e avisado a respeito de uma correspondência que estava na N. Detroit Avenue, 500. Quando cheguei ao local, me falaram sobre as diferenças entre as duas raças. A situação estava começando a esquentar, o que tornava perigoso voltar para minha casa, então permaneci a noite inteira na Detroit Avenue.

* Em inglês, *Golden Rule* se traduz por "tratar os outros como se deseja ser tratado". (N.T.)

Vi pessoas de todos os tipos subindo e descendo a rua, e a maioria delas estava armada. De manhã cedo, entre cinco e seis horas, foi dado um "Alerta de Distúrbio", ou seja, o alarme da prefeitura soou longamente e depois, ao olhar pela janela, pude ver os brancos, armados com rifles de alto calibre, vindos da colina e cercando o distrito das pessoas de cor. Quando eles passaram e convidaram os moradores a saírem de casa, eu disse que "iria esperar enquanto desse". Eles diziam: "Saia daí, não vamos machucar você". Várias pessoas atenderam ao chamado, mas eu olhava friamente enquanto eles as levavam para longe.

Olhando pelos fundos da casa pude ver homens e meninos rondando as residências das pessoas de cor, enquanto outros saqueavam e incendiavam os lares de minha gente. Observando com dois companheiros a forma como meu povo era tratado, tive a ideia de permanecer ali por tanto tempo quanto possível, o que realmente fiz. Quando vimos que a maioria das casas vizinhas estava em chamas, meus companheiros e eu nos rendemos, depois que todas as portas e janelas tinham sido atingidas por tiros e era preciso sair.

Com a chegada do bando de brancos, da quarta ou quinta vez, nós saímos depois de vários tiros serem disparados contra a casa. Nós saímos, meus companheiros na frente. Dois ou três brancos encostaram armas no rosto e nos ombros de cada um de nós e nos conduziram escada abaixo. Quando estava chegando aos últimos degraus, fui confrontado por um homem que me tratou de modo muito agressivo. Vendo-me, um homem de braços erguidos, ele partiu de um ponto cego e me atingiu no queixo. Eu o vi? NÃO! Depois disso fui interrogado, tomaram meu dinheiro e me levaram numa caminhada pelas ruas movimentadas, de mãos erguidas, por cerca de trinta quarteirões.

No caminho, meus braços se cansaram e o sol também estava cozinhando meu cérebro, e eu não tinha permissão para usar meu chapéu. Baixei as mãos para me proteger do sol, fui atingido nelas pelo cano de um revólver e recebi a ordem de manter as "Mãos para cima". Enquanto caminhávamos pelas ruas, mulheres, crianças e na maior parte homens, riam e faziam chacota.

Ao chegarmos ao Parque, as mulheres tiveram permissão de sentar-se na arquibancada, enquanto os homens se aglomeraram no chão. Depois se permitiu que fossem para a arquibancada os de cinquenta anos ou mais, embora houvesse espaço mais que suficiente para todos.

Depois veio o desagradável protocolo para ser liberado. Você precisava ter uma pessoa branca que atestasse sua honestidade e, evidentemente, eu não conhecia ninguém (por ser arquiteto, meu irmão e eu contratávamos e trabalhávamos por conta própria). Assim, eu estava numa posição difícil, mas finalmente consegui sair graças a um jovem que disse para um homem que "Esse rapaz é meu cunhado".

Ao retornarmos, descobrimos que a casa havia sido saqueada, dois ou mais membros da turba trocavam de roupa. Uma peça que eles trocaram tinha sido usada umas quatro vezes. Pode imaginar o que esse fato, por si só, traz à tona?

O pior de tudo foi ser humilhado diante de garotos de doze a dezesseis anos de idade. Nós sabemos que eles vão crescer acreditando que podem fazer o mesmo conosco, já que viram os adultos agindo desse modo, mas, espero eu, com menos sucesso.

J. C. Latimer,
arquiteto e empreiteiro

*

Uma das cenas mais horríveis de ódio racial na terça-feira, 31 de maio, e da violência das turbas, na manhã de 1º de junho, ocorreu em Tulsa, Oklahoma, na noite dessa história nunca registrada na face do globo.

Esse triste episódio de que participaram mais de 5 mil brancos maculou a imagem da cidade de Tulsa, deixando uma mancha escura sobre essa grande cidade petrolífera que nunca será apagada, tenho que ressaltar, como habitante desse município.

O *Daily Tribune*, um jornal branco que tenta ganhar popularidade referindo-se ao distrito negro como "Pequena África", publicou no fim da tarde de terça-feira, 31 de maio, um artigo afirmando que um negro havia tido um problema com uma ascensorista branca no edifício Drexel. Também dizia que o negro tinha sido preso e encarcerado e que uma turba de brancos estava se preparando para linchá-lo.

Em algum momento durante a noite, chegaram cerca de cinquenta negros; vieram grupos com rifles etc. e foram para o distrito em que o negro acusado estava preso, e, ao chegarem, encontraram um bando de brancos que tentava linchá-lo.

Os policiais encarregados garantiram aos negros que não haveria linchamento e, quando eles estavam para voltar à área negra, alguém atirou e teve início a batalha. A noite inteira foi possível ouvir tiros dos dois lados, enquanto os brancos reuniam mais de 5 mil homens que cercaram a área negra para realizar um ataque de manhã contra mais de 8 mil negros inocentes.

Quando a luz do dia se aproximava, eles (os brancos) receberam um sinal emitido por um apito e teve início a selvageria suja e covarde. Tudo isso aconteceu enquanto negros inocentes estavam dormindo e não tinham a menor ideia de que seriam vítimas dessa brutalidade.

Ao sinal do apito, mais de uma dúzia de aviões decolaram e começaram a despejar balas sobre as residências dos negros, enquanto 5 mil brancos com metralhadoras e outras armas mortais começaram a atirar em todas as direções. Homens, mulheres e crianças negros começaram a correr em busca de segurança, mas sem sucesso, pois foram recebidos por salvas de tiros de todos os lados. Um grande número de mulheres e crianças e homens negros foi morto enquanto tentava fugir em busca de segurança.

Conforme a luta seguia, eles capturavam e levavam todos os homens negros de seus lares honestos para um salão no centro da cidade, assim como mulheres e crianças negras eram conduzidas para diferentes partes da cidade. Depois de removerem mais de quinhentas pessoas de suas casas, o trabalho sujo de saqueá-las e incendiá-las teve início.

Usaram tochas encharcadas de gasolina para incendiar a área negra e, nesse meio-tempo, grandes caminhões para carregar pianos, vitrolas e outros objetos que havia nas casas dos negros. Com efeito, todos os lares negros foram saqueados por esses patifes brancos que não encontraram resistência, já que os negros em sua maioria tinham sido levados como prisioneiros.

Nós lemos na Bíblia sobre Sodoma e Gomorra, mas as imagens que testemunhamos naquela manhã não poderiam ter sido piores. Uma parte da cidade foi isolada da outra pelo fogo, pela fumaça e pelas cinzas.

As cenas mais horríveis desse evento foram as mulheres arrastando seus filhos enquanto corriam em busca de segurança e os imundos patifes brancos atirando nelas. Algumas foram perseguidas por mais de vinte ou trinta quilômetros e houve as que nunca voltaram.

Os hospitais de negros, repletos de doentes, foram incendiados, e muitas pessoas pereceram em meio às chamas, sem conseguirem chegar a um local seguro.

Tulsa, onde muitos negros haviam acumulado riquezas e possuíam belas residências, e a rua Greenwood, a "Broadway" negra de Tulsa e uma das melhores ruas comerciais negras nos Estados Unidos como um todo, agora jaz sob um monte de cinzas. Enquanto os escombros eram removidos, corpos eram encontrados queimados até os ossos. Eles não tiveram meios de escapar.

O número de brancos e negros mortos nesse ataque nunca será conhecido. Fiquei detido na delegacia de polícia para ajudar os médicos brancos e de cor que atendiam negros feridos, e o dia inteiro, de manhã cedo até a noite, caminhões lotados traziam negros mortos e feridos. Para onde foram levados, eu não sei.

Muitos negros foram presos à traseira de automóveis e arrastados pelas ruas enquanto balas eram disparadas contra seu corpo.

Mulheres foram expulsas nuas de suas casas, com as roupas nas mãos e rajadas de tiros disparadas contra elas enquanto fugiam; algumas com bebês nos braços.

Essas coisas, e muitas outras, que não conseguirei mencionar, aconteceram nos Estados Unidos, que alardeiam ser uma verdadeira democracia.

Ó Estados Unidos! Cruéis Estados Unidos! Pesados fostes na balança, e achados em falta.*

A. H.

* Referência a Daniel 5:7. (N.T.)

OS DISTÚRBIOS RACIAIS DE TULSA

É impossível fazer um relato completo dos acontecimentos, mas o que eu vi foi ruim o bastante e ainda assim não consigo contar tudo o que vi. Quando tive a dimensão do que estava acontecendo, vi homens e mulheres fugindo para salvar suas vidas, com centenas de homens brancos a persegui-los, atirando em todas as direções. Quando uma mulher fugia correndo de sua casa, caiu subitamente, por conta de um ferimento a bala. Depois vi aviões voando muito baixo. Para minha surpresa, ao passarem sobre o distrito industrial deixaram todo um quarteirão em chamas.

Eu vi homens, mulheres e crianças conduzidos como gado, amontoados como cavalos e tratados como feras. Assim, entendi completamente a atitude do homem branco sulista quando ele derrota você. Eu vi centenas de homens marchando pela principal área comercial da "Cidade Branca" sem chapéu e com as mãos para cima, com dezenas de guardas conduzindo-os armados, xingando-os de todas as formas possíveis. Vi grandes caminhões seguindo os invasores, enquanto expulsavam as pessoas de cor de suas casas e de locais de negócios. Tudo o que havia de valor foi colocado nesses caminhões e o restante virou cinzas.

Eu vi metralhadoras apontadas para homens de cor para expulsá-los de seu refúgio.

Na noite de terça-feira, 31 de maio, ocorreu o motim, e na quarta-feira, de manhã cedo, houve a invasão.

✷

H. T. S. JOHNSON, DA COMISSÃO INTER-RACIAL

O motim racial de Tulsa, na noite de 31 de maio, assim como os assassinatos e os incêndios criminosos na manhã de 1º de junho de 1921, nunca teriam acontecido se as pessoas brancas e os negros da melhor classe tivessem trabalhado cooperativamente pelo bem da comunidade. Em vez disso, cada um foi para seu lado, sem se preocupar com o que poderia acontecer com uma comunidade em que as pessoas racionais deixam a gestão dos assuntos do município nas mãos dos que valorizam mais o dinheiro do que a lei e a administração pública.

Um preço terrível — centenas de vidas e milhões em propriedades — foi pago, mas se as pessoas cristãs de ambos os grupos raciais tiverem aprendido a lição de que, para a proteção mútua e o bem-estar da comunidade, devem preocupar-se com o caráter dos funcionários municipais, desde o prefeito até o mais humilde policial, o investimento valeu a pena. Embora não totalmente, o autor acredita ter sido suficientemente aprendida a lição de que é preciso tornar para sempre impossível a recorrência da tragédia que faz todo habitante leal de Tulsa corar de vergonha ao se lembrar dela.

A melhor prova de que isso é verdade foi a organização, menos de trinta dias após o desastre, de duas comissões de cooperação inter-racial. Uma composta por um grupo de pessoas brancas influentes e justas, e a outra, por um grupo não menos representativo de negros. Essas comissões dão a conhecer um sentimento público, de ambos os lados, que era um misto de ódio, suspeita e solidariedade. O elemento da solidariedade, contudo, era mais forte entre ambos os grupos — de brancos e negros —, e essa foi a força com que a comissão inter-racial branca levantou a questão da opressão do negro sobre o qual a administração municipal depositou todo o peso que têm a política e os tribunais corruptos. Em outras palavras, para evitar que os negros reconstruíssem suas casas e locais de negócios, os comissários municipais, dois dias depois de o distrito ter sido queimado, aprovaram uma portaria* que ampliava consideravelmente os limites do incêndio para o norte e para o oeste, a fim de incluir todas as terras cobiçadas, como Acabe fez com os vinhedos de Nabote.** Depois de se recusar a acatar essa apelação, rescindindo a portaria de confisco, o juiz Mather M. Eakes, presidente da Comissão de Cooperação Inter-Racial do Condado de Tulsa (branca), em um processo judicial contra o município, declarou a portaria de incêndio inconstitucional, deixando os negros livres para reconstruírem nos terrenos de sua propriedade. Sem essa ajuda oportuna, o moral do negro teria sido arrasado e o esplêndido recorde na reconstrução e no restabelecimento de seus negócios, que agora está se realizando, teria sido impossível.

Melhor saneamento, mais iluminação, ruas pavimentadas, instituições escolares em maior quantidade e mais bem equipadas, grandes playgrounds igualmente equipados, ginásios, uma piscina e uma biblioteca com funcionário remunerado são nossas necessidades mais urgentes. Com uma forte comissão negra para fazer uma pesquisa inteligente e uma influente comissão branca para defender nossa reivindicação junto às autoridades existentes, no devido tempo devemos ter as coisas enumeradas anteriormente e uma Tulsa maior e melhor terá emergido do sangue e das cinzas de 1º de junho. A verdadeira cooperação inter-racial é o caminho que leva à paz nas relações raciais.

* Dois dias após o incêndio das propriedades dos negros de Tulsa, a gestão municipal propôs um novo plano de ocupação urbana e uma portaria que regulamentava os novos usos das áreas incendiadas. O plano previa a construção de uma ferrovia e uma parte industrial. Já a portaria vetava o uso do território incendiado para fins de moradia e apresentava o registro de uma área maior do que a inicialmente afetada pelo incêndio. (N.E.)

** Referência a 1º Reis 21:16. (N.T.)

✷

SRA. DORA WELLS

Não se pode exagerar quando se fala dessa nobre mulher e seu notável trabalho em Tulsa durante o grande massacre de 1º de junho de 1921. Embora viúva e tendo sofrido grandes perdas, nunca esmoreceu em seu trabalho. Ela cuidou dos enfermos, alimentou muitas pessoas famintas. Com condições de construir apenas três pequenos quartos, por muitas noites abrigou diversas pessoas. Antes do massacre, a sra. Wells era a única proprietária da Fábrica de Roupas Wells, um estabelecimento que deu emprego a várias mulheres da raça. Deixou para trás sua casa e sua empresa, com todo o conforto que lhe proporcionavam, para voltar apenas no dia 2 de junho e encontrar brasas e cinzas ardentes — o trabalho de toda uma vida perdido. Esta mulher, apesar de alquebrada, não se deu por vencida e dedicou-se a erguer um prédio temporário, tornando-se a primeira pessoa a edificar uma construção no tão cobiçado distrito.

A sra. Wells saiu de Tulsa no dia 20 de agosto de 1921 como membra da delegação que participou da Grande Loja e Templo dos Alces da IBPOEW,* em Boston, Massachusetts. Por ser uma fervorosa trabalhadora tanto na igreja quanto na sociedade, a sra. Wells conseguiu melhorar a condição dos doentes de Tulsa antes dessa renomada organização. Ao fazê-lo, recebeu roupas dos Templos do Leste; duas igrejas e dois clubes também atenderam ao pedido. Duzentas e sessenta e sete pessoas receberam fardos de roupas das mãos dessa nobre mulher, com o auxílio das Filhas da Ordem dos Alces do Templo Cosmopolita 133, de

* *Improved Benevolent and Protective Order of Elks of the World*, fraternidade afro-americana fundada em Cincinnati, Ohio, no ano de 1897. (N.T.)

Tulsa. A maioria das pessoas necessitadas recebeu ajuda, independentemente de suas conexões com a fraternidade. Todos eram tratados da mesma forma e, hoje em dia, ninguém é objeto de mais hospitalidade do que os que procuram a sra. Wells. Sua mesa está sempre pronta para alimentar os famintos, e seu teto, para abrigar pessoas em situação de rua. Tulsa pode se orgulhar dessa mulher. Amadas por todos, temidas por ninguém, mulheres desse tipo construtivo e desenvolto não são encontradas com facilidade, e Tulsa deve ter orgulho dela.

As pessoas de Tulsa que se beneficiaram de sua ajuda jamais se esquecerão dos serviços por ela prestados em um tempo de necessidade.

Muitas doações em dinheiro foram enviadas por diversos templos e divididas por ela apenas entre Filhas da Ordem dos Alces.

Passados onze meses e eu ter tido o prazer de ver a bela Greenwood reconstruída, com prédios empresariais de dois e três andares, eu quero esquecer aquela manhã de 1º de junho, quando tentei encontrar um lugar para me esconder, e não havia nenhum. Quando saímos (meu marido e eu) do hotel Red Wing, sob uma saraivada de balas, e eu me resignei quanto a meu destino, pois achava que todas as rotas de fuga estavam fechadas.

O sr. Pack e Lewis disseram a meu marido que me trouxesse para fora para tentar escapar do alcance de fogo e balas. Quando cheguei à rua me senti indisposta e tão fraca dos joelhos que não conseguia caminhar.

Havia um homem em um táxi tentando ajudar as mulheres a fugir. Ele nos pegou e nos levou até a North Greenwood, 1025. Tínhamos amigos que moravam nesse endereço e pensávamos que poderíamos ficar ali, mas que nada! Descobrimos poucos minutos depois que teríamos de ir em frente, pois já estavam atirando em nós.

Com o sr. Harris e sua família e muitos outros, começamos a andar na direção norte, mas para onde? Não sabíamos. Havia, contudo, uns seis aviões vigiando lá de cima. Para quê?

Ao chegarmos ao limite de nossa área, o sr. Pack e meu marido resolveram que seria melhor para nós tentar chegar ao edifício Kennedy, onde meu marido trabalhava. Eu não ousaria repetir tudo o que ouvimos no caminho, mas ao chegarmos à esquina da Main com a Archer estavam conduzindo um grande grupo de nossos homens para o Centro de Convenções, as mãos sobre a cabeça, sem chapéus e seminus. As ruas estavam repletas de pessoas brancas, algumas com pena dos desafortunados, mas a maioria parecia achar tudo aquilo engraçado.

Chegamos ao edifício Kennedy e cuidaram de nós durante o dia. Ao anoitecer, decidiram que poderíamos ir para as ruas, mas usando um crachá com os dizeres "Proteção Policial". Quem não tivesse o crachá seria preso.

Os dias que se seguiram trouxeram muitas humilhações. Se nunca tivesse trabalhado como empregado de alguém, você precisava ter um cartão mostrando que estava no Serviço da Cruz Vermelha ou trabalhava para algum branco que fosse responsável por você. Com guardas posicionados por toda parte, era preciso mostrar um "*Green Card*" para poder entrar no distrito das pessoas de cor.

Agora trabalho como secretária do hospital Maurice Willows e encontro no arquivo uma lista de nomes, muito incompleta, como segue: Pessoas de cor feridas, 63; Mortas, 15.

Essa relação não pode ser considerada correta.

Demos alta ao último paciente ferido nos Distúrbios no dia 28 de abril, um homem jovem que tinha sofrido muito e que ainda usa muletas.

Vamos esperar que possamos perdoar e esquecer aqueles que independentemente da raça causaram essa catástrofe que se abateu sobre nós. Que façamos de nossas vidas um exemplo de pessoas cristãs, cumpridoras da lei, dizendo, "Pai, perdoa-lhes, porque não sabem o que fazem".

Coisas que notei enquanto tentava escapar:

Mãe e filho, ambos feridos, um tentando ajudar o outro.

Vários homens feridos, à beira da estrada, exaustos, incapazes de ir adiante.

Foi informado por enfermeiras de que elas tinham atendido a vários partos prematuros naquele dia.

Crianças tentando desesperadamente encontrar os pais; esposas esperando pelos maridos, sem saber para onde tinham sido levados pelos homens armados.

A todos os cidadãos americanos em todos os lugares eu direi: "Manifeste-se contra toda ilegalidade".

Dimple L. Bush

A HISTÓRIA DA IGREJA BATISTA MOUNT ZION

A Igreja Batista Mount Zion de Tulsa, Oklahoma, foi criada em 1909 pelo falecido S. Lyons com um pequeno grupo. Ele atuou como pastor de seu povo por cerca de oito meses e depois renunciou. O rev. Leonard foi então chamado para exercer essa função na igreja. Ficou por pouco tempo e então o rev. C. L. Netherland, terceiro pastor, o substituiu como pastor desse pequeno rebanho por cerca de dezoito meses, depois se afastou do cargo e os encorajou a chamar o rev. F. K. White, que foi o quarto pastor e o principal responsável pela compra do terreno onde a igreja se situa atualmente. O rev. White renunciou em 1914 e foi para a Califórnia. Antes de partir ele os convenceu a escolher R. A. Whitaker, o atual pastor, que chegou no momento mais sombrio, quando a sorte parecia estar contra nós.

Na época realizávamos nossos cultos no prédio da escola em Hartford, e menos de três semanas após minha chegada recebemos a ordem de desocupar o local. Fizemos isso com o prazo de três dias. Passamos para um "salão de dança" no edifício Woods, na Greenwood Avenue. Foi lá que supostos amigos disseram que o dia da esperança havia passado e então fomos corajosamente a um "Santuário da Graça" e Deus abriu as portas por meio do irmão C. Henry, que veio nos confortar com uma mensagem de esperança.

O próximo passo foi construir o "Tabernáculo" e desbravar o terreno para a nova igreja. Isso vai mostrar a você onde estávamos sete anos atrás. Começamos a "preparar o terreno" sem um tostão no bolso.

Cinco anos atrás, em junho, tivemos um grande encontro e levantamos 750 dólares e 15 centavos. Com isso, começamos o trabalho de construção dos alicerces do prédio atual. Tínhamos de obter crédito e criar oportunidades. Foi uma tarefa difícil, pois recebemos muitos golpes, mas logo percebemos cada golpe como um incentivo. Tínhamos uma boa reputação com as seguintes empresas: Ketchum Lumber Company, Miller Furniture Company e Tulsa Brick Company,* e também com nossos próprios membros e amigos, o irmão J. H. Goodwin, a sra. M. A. Wright, a sra. Ida Grant, a sra. M. Littles, J. Woods, J. E. Stewart, A. Allis, J. W. Franklin e muitos outros de cujos nomes não me recordo.

* Fornecedoras de madeiras, móveis e tijolos, respectivamente. (N.T.)

Nós lhe oferecemos essa parte da história para que compreenda o que sete anos de trabalho em um campo onde as condições e as probabilidades são tão adversas significam.

Agradecemos aos vários amigos que ficaram do nosso lado e nos deram palavras de incentivo. Deus abençoe a boa gente de Tulsa e do grande estado de Oklahoma. Nós ganhamos muitos amigos de outras raças. Nunca os esqueceremos e oramos para que as bênçãos de Deus recaiam sobre vocês. Essa é nossa prece.

R. A. Whitaker,
pastor

✷

Tendo saído de Tulsa, como eu fiz, em 26 de maio de 1921 para comparecer à formatura de minhas duas filhas, Ruth e Eunice, esta da oitava série, no dia 27, e a primeira pela Western University, em 2 de junho, eu estava fora da cidade nos dias dos distúrbios, 31 de maio e 1º de junho.

Mas a Tulsa da qual eu saí e a Tulsa que encontrei em minha volta, em 5 de junho!

Saí de uma Tulsa cheia de vida e grandes esperanças, pessoas que eram felizes, pessoas que em sua maioria eram prósperas, um povo dinâmico, alerta, ativo, de olho no futuro. Alguns que chegaram nos primeiros dias, quando era um desafio às almas dos homens, e que agora estavam descansando e começando a colher os frutos de seus anos de labuta — pessoas que cantavam em louvor a Tulsa, prósperas.

Nenhum homem, fosse ele milionário ou miserável, tinha mais orgulho em Tulsa do que seus íntegros e visionários cidadãos de cor. Ninguém clamava com mais força contra o sistema policial autoritário e os infortúnios do submundo.

Dez meses em Tulsa; dez meses dinâmicos, construtivos, de esperanças e aspirações humanas; dez meses de uma visão de melhores dias e, no palanque e na imprensa, a expressão "O raiar de um novo dia" era de uso corrente. Isso em Tulsa, na área de cor.

Os cidadãos de cor de Tulsa moravam na parte norte da cidade, separados em ângulo reto da área branca.

A colina Standpipe projetava-se sobre a área negra tal como o estado da Flórida se estende até o oceano. Essa colina é propriedade de um homem branco. Dela se pode ter uma visão panorâmica de Tulsa e dos arredores. As pessoas brancas não comprariam esse terreno e as de cor não podiam comprá-lo, embora ocupassem três lados dele.

A boa gente de cor estava construindo magníficas estruturas para igrejas. Uma delas, a Mount Zion, batista, fora concluída ao custo de 85 mil dólares — obtidos com sacrifício e frugalmente poupados. Era um conforto para os membros mais velhos que haviam trabalhado durante tantos anos e agora, num espaço confortável, estavam prontos para adorar a Deus e pacientemente servir até que Ele os chamasse de volta ao lar.

A Igreja Batista Paradise era um aconchegante prédio de tijolos situado do lado norte da colina Standpipe, enquanto a Mount Zion ficava ao sul dela. Os membros dessa igreja a estavam construindo num esquema pré-pago. Ela estava pronta, com exceção do mobiliário interior. As igrejas episcopais metodistas tinham o primeiro andar concluído e dinheiro no banco para a superestrutura.

Havia quatro farmácias bem equipadas, muitas mercearias. A Elliott & Hooker, loja de móveis para homens e mulheres, tinha produtos de tão alto nível quanto qualquer outra na cidade; dois bons hotéis acomodavam os viajantes; a mercearia Welcome era exemplar; barbearias modernas e duas sapatarias com maquinário avançado. O teatro Dreamland cuidava do prazer e entretenimento do público. Os médicos estavam se equipando com todo o aparato moderno necessário para aliviar o sofrimento humano. Jovens homens dentistas tinham investido maciçamente a fim de estarem preparados para atender a seus pacientes. Mulheres investiram em salões de beleza e ateliês de costura. Os cafés estavam preparados para atender satisfatoriamente a seus muitos clientes. Na verdade, as pessoas eram tão laboriosas e dedicavam tanto tempo ao trabalho que não preparavam sua comida em casa, mas frequentavam os cafés. Quatro ônibus com assentos estofados levavam as pessoas de casa para o trabalho. Uma empresa oferecia caixões com preços que iam de cinquenta a mil dólares, todos destinados a pessoas de cor. Uma limusine de 10 mil dólares para levar famílias em luto foi sua última aquisição.

As pessoas de cor de Tulsa, em todos os sentidos da palavra, estavam construindo uma cidade moderna, com um centro empresarial atualizado.

Os negros de Tulsa eram constantemente prejudicados nos serviços públicos, gerenciados e controlados por homens brancos. Frequentemente lhes imploravam que estendessem e fornecessem os mesmos serviços. Procrastinação, promessas políticas e esperanças postergadas eram o resultado. A área de Tulsa habitada por pessoas de cor era insuficientemente iluminada. E, se o mal prevalecesse e o negro mau existisse, ele teria a salvaguarda da negligenciada escuridão de uma cidade para exercer seu ofício malévolo. Tinham gritado, "Faça-se a luz", e não havia luz. A lâmpada de querosene, a vela de parafina e a escuridão prevaleciam em sua cidade. Em Tulsa, a noite clara fora transformada em dia.

As condições insalubres, o pavimento dos banheiros públicos e o mau cheiro que deles exalava aumentavam a surpresa pelo fato de a saúde da comunidade ser tão boa como era.

O homem de cor de Tulsa não construía sua casa sobre a areia, mas sobre sua imensa fé, pois, quando irrompe o fogo, tudo o que ele pode fazer é ficar parado e ver todas as suas posses mundanas transformarem-se em cinzas. A proteção da água era insuficiente.

A despeito de todos os prejuízos físicos e mentais, ele tem se saído bem e, embora parte de sua cidade esteja reduzida a cinzas, ouve-se o martelo do carpinteiro e novas casas de madeira se espalham por todas as direções. A atitude do homem negro de Tulsa é construir e reconstruir.

A Associação Cristã de Moços foi a última adição ao aprimoramento cívico. Esse é um capítulo inspirador da história da cidade.

Conscientes da tendência moralmente insalubre na vida das pessoas jovens, alguns poucos cidadãos atuantes, atentos, progressistas, por iniciativa própria e com o aconselhamento e a cooperação cordiais desse admirável cavalheiro cristão, o sr. C. E. Buckner, secretário-geral da associação em Tulsa, promoveram a organização da unidade da ACM, em Hunton.

Levantaram um orçamento próprio de 3 012 dólares para o primeiro ano de trabalho. A direção central da organização estava pronta para colaborar com mil dólares, mas o conselho de administração, presidido por esse príncipe, o sr. S. D. Hooker, conseguiu levantar toda essa quantia entre seus próprios membros. Os sócios eram mais de quinhentos homens e rapazes.

De forma semelhante, eles conseguiram garantir o orçamento para o ano seguinte de trabalho e, apesar da escassez à época, aumentaram o orçamento para 5 207 dólares e tiveram o prazer de na terça-feira à noite, antes da terça-feira do tumulto, comemorar o fato de toda essa soma ter sido obtida.

Pouco antes disso foi criado um novo instituto. Pela primeira vez na história da Universidade de Oklahoma, a Divisão de Extensão, composta por sete homens e mulheres brancos, especialistas em suas áreas, realizou um encontro de três dias na comunidade de cor de Tulsa. Eles sensibilizaram e estimularam a igreja, a escola, a vida cívica e doméstica das pessoas de maneira encorajadora. Isso deu a nosso povo uma nova compreensão sobre as animadoras possibilidades da vida. Os funcionários foram graciosamente informados sobre a vida particular e as aspirações das pessoas de cor. Estas não sabiam que pessoas brancas podiam ser tão gentis, prestimosas e interessadas em seus problemas pessoais. O instituto custou mil dólares. As pessoas acharam que ele valia muito mais que o custo.

Essas são algumas das evidências da nova atitude do desenvolvimento da mente dos cidadãos de cor de Tulsa.

Apenas mais um fato que demonstra o desejo por evolução cívica, ideais saudáveis e coisas melhores para Tulsa.

Apenas uma semana antes dos distúrbios, o conselho de administração da unidade da ACM, em Hunton, juntamente com o prefeito e os comissários municipais, convidou o presidente King, da República da Libéria, para uma visita oficial a Tulsa. O presidente King aceitou.

O que deve ter encorajado os cidadãos de cor de Oklahoma a aproveitarem melhor suas oportunidades. O custo de mil dólares pago por eles por essa visita do presidente King e sua comitiva não foi impeditivo.

Os lares dos cidadãos de cor de Tulsa iam desde casas de madeira sem piso, temporárias, até residências modernas equipadas com o que havia de melhor e mais recente em mobiliário interno e externo.

Isso, em suma, e apenas em suma, pois muito pode ser dito sobre as grandes esperanças e aspirações dos cidadãos de cor de Tulsa. Essa é a Tulsa de onde saí na noite de 26 de maio de 1921.

E a Tulsa que encontrei em meu retorno, em 4 de junho. Que contraste!

Tulsa tinha virado uma página para correr em paralelo com os hunos e os godos — vândalos da Europa — ou os índios da última carga de cavalaria do general Custer.

Um garoto de cor desajeitado pisa no pé de uma ascensorista branca — ela lhe dá um tapa — segue-se uma resposta descortês da parte dele — ele é detido sob a acusação de agressão e ofensa — o jornal omite "e ofensa" — o público pensa em estupro — grupos de brancos agressivos reúnem-se na porta da cadeia — homens de cor, temendo o que geralmente acontece, reúnem-se para evitar um linchamento — um tiro imprudente, irresponsável — e as restrições civilizatórias são deixadas de lado e homens se tornam feras embrutecidas.

O garoto deveria ter se desculpado. A moça deveria ter reconhecido o acidente. O jornal não deveria ter confundido a história com um destaque falso. Os homens brancos não deveriam ter se reunido perto da cadeia. Deveriam ter priorizado a lei. Os homens de cor deveriam ter confiado naqueles cujo dever de ofício era proteger o prisioneiro.

Um cordão policial deveria ter cercado os primeiros grupos de negros e brancos. Mas são palavras tristes, "deveriam ter". Nada do que aconteceu, porém, pode justificar a condução de 12 mil pessoas de cor inocentes, sonolentas, vestidas com seus pijamas, pelas ruas, levadas ao Centro de Convenções e outros lugares, que depois tiveram suas casas saqueadas e suas economias, frutos do trabalho árduo de um povo laborioso, roubadas ou, no mínimo, restringidas.

Trabalhei por dez meses com essas pessoas. Senti uma compaixão profunda por elas em sua luta contra grandes obstáculos.

Pilhagem — eles levaram caminhões até as casas desocupadas (à força) dos negros e roubaram tudo o que era transportável e valioso. Uma mulher de cor foi a onze diferentes casas de brancos e recuperou parte de seus bens domésticos.

Roubo — cada centavo encontrado com essas pessoas foi tomado. Anéis maçônicos foram tirados de seus dedos, assim como os relógios e correntes que portavam. Com efeito, tudo aquilo de natureza material etc. preparatório para a cruel iniciação que ainda não terminou, foi tomado deles. E assim, sem dinheiro, despojados, foram encurralados, primeiro em um lugar e depois em outro.

Obrigado às boas pessoas que os levaram para suas casas, que os alimentaram e vestiram, e os abrigaram até que uma cruel determinação da polícia forçou até mesmo os brancos a desistirem e enviarem para o pavilhão das feiras aqueles de quem tinham se tornado amigos. Ofertas bondosas foram barradas por ordem da polícia.

Com seus lares saqueados e, assim como suas lojas, reduzidos a cinzas, com os doentes, idosos e enfermos levados para fora ou deixados para morrer entre as chamas; mães dando à luz ao ar livre, agrupadas como animais, encurraladas e vigiadas como prisioneiros de guerra; e, antes que a fumaça vinda de milhares de lares se dispersasse, os apreensivos desabrigados descobriram que os donos da cidade haviam aprovado uma portaria "que tornava impossível para eles, na condição de destituídos, voltarem e reconstruírem suas próprias residências".

Enquanto seus corações sangram, seus lares e todas as relíquias que constituem a memória do passado de suas vidas resistirem diante da chocante constatação de que suas famílias estão abaladas e dispersas e temerosas de que possam ser atingidas pelas cruéis balas disparadas pela turba, com corpos trêmulos, fracos, cansados, famintos e depauperados, obrigados a ficar nas tendas do Centro de Convenções sob o controle pesado, cruel de agentes da guarda local — guardas que os saúdam com ordens ríspidas e linguagem vulgar — enquanto sofrem tudo isso e ainda mais, o prefeito e os comissários, a Câmara Imobiliária e o Conselho de Previdência são como aqueles que crucificaram Cristo, tirando a sorte para ganhar as terras tão arduamente conquistadas pelos negros.

Ah! Se ao menos pudessem parar e pensar sobre quanto tempo foi necessário para que essas pessoas pobres, lutadoras obtivessem essa pequena porção de terra!

No entanto, por todos os métodos conhecidos e que estão sendo descobertos por meio da combinação das mentes preparadas dos melhores talentos jurídicos que a cidade e o estado podem pagar não estão deixando nenhuma brecha pela qual o cidadão de cor possa algum dia reconstruir sua própria terra.

Nós apelamos à consciência e ao bom senso do povo americano, onde está a linha que separa o elemento de baixo, que abriu caminho, e o elemento de cima, que se sentou para almoçar ao meio-dia sob a refrigeração dos ventiladores elétricos e planejou de modo cuidadoso e inteligente para que esta "nunca mais viesse a ser uma área de negros".

E imediatamente publicou sem o consentimento dos proprietários ou sem lhes oferecer um centavo:

"Procuram-se casas à venda por atacado em Tulsa."

"Nova Comissão Previdenciária em campanha ativa para melhorar a cidade."

"Por meio da Comissão de Reconstrução nomeada na terça-feira (14 de junho) pelo Prefeito e pelos Comissários Municipais, Tulsa dá as boas-vindas às empresas imobiliárias e às instalações industriais que se estabelecerão nas propriedades da ferrovia na Pequena África varridas pelo fogo e que agora estão dentro dos limites restritos à construção de prédios resistentes a incêndios."

"A comissão também expressou uma posição favorável à utilização de parte da área incendiada para uma estação de trem da Union assim que tal projeto esteja pronto para ser avaliado pelas empresas ferroviárias que atuam em Tulsa." — *Tulsa World*, 15 de junho de 1921.

Pense nisso! Uma estação de trem por onde passam as raças humanas, construída sobre o solo manchado de sangue das propriedades de negros. Que chegada a Tulsa! Que porta de entrada para a "Cidade Mágica do Grande Sudoeste". Um símbolo de ganância e sangue!

Um acréscimo a essa angústia da alma veio rapidamente com a determinação da polícia de que, para terem a liberdade de circular pelas ruas de Tulsa, todos os negros tinham de usar um crachá verde informando nome, idade, endereço e nome do empregador, que tinha de ser branco. Homens que trabalhavam por conta própria precisavam encontrar um homem branco que assinasse seu cartão. Se estivessem desempregados, um crachá vermelho devia ser usado. Este dizia: "Se o portador estiver na rua depois das dezenove horas, ele será detido e levado para o Centro de Convenções" — que alguns chamavam de "curral".

Os guardas estão posicionados em todas as vias que levam à área negra. Homens, mulheres, meninos e meninas são parados por esses guardas, muitos dos quais são grosseiros, rudes e descorteses.

Cada passo desde o súbito despertar com os tiros e o barulho dos aviões até o presente momento evidencia uma crescente humilhação. Os que tiveram o privilégio de retornar a seus lares descobriram que seus pertencentes tinham sido roubados ou quebrados. Tudo, desde um sapato a um piano a um automóvel, foi encontrado em casas de pessoas brancas.

Deixei um povo feliz, esperançoso e progressista. Encontrei seres humanos destruídos, humilhados, desencantados. Deixei um povo que orava; encontrei-o perguntando-se se Deus é justo. Deixei uma Associação Cristã de Moços com perspectivas brilhantes e promissoras, pronta para começar uma campanha de construção de 150 mil dólares; encontrei um orçamento aniquilado, recursos consumidos, um conselho de administração em desespero.

Tulsa havia destruído as casas, tirado as vidas e mutilado os corpos do melhor amigo que o homem branco tem neste país: sim, o mundo.

Não há homem no mundo que tenha apoiado ou vá apoiar o branco como o negro.

Não há justificativa para a destruição maciça de propriedades e recursos de milhares de negros inocentes, cumpridores da lei e construtores de lares. Não admitimos as ações condenáveis do negro mau. Deploramos sua existência. Oramos para que as influências cooperativas de todas as pessoas ajudem a melhorá-lo ou contê-lo, assim como a seus parceiros brancos. Achamos difícil chegar a eles. Você acha difícil chegar a seus parceiros brancos. Eles se confrontam. Vocês e nós somos lançados em um redemoinho de ódio humano. Nós, que emergimos com os corpos ensanguentados, feridos e as economias e as propriedades de uma vida reduzidas a cinzas, devemos encarar um ao outro e perceber quão trivial e evitável foi a causa e quão deploráveis e permanentes foram os resultados.

O espírito da América está morto? Deve a cor da pele de um homem ser o símbolo de um sentimento adverso?

O meu é uma agenda cristã. Estou profundamente convencido de que uma cristandade ativa e atenta vai curar essa doença humana.

Chegará o tempo em que uma agenda cristã se tornará necessária para "afastar os vendilhões" e delinquentes.

Infelizmente, Tulsa chegou a esse estágio.

Tulsa não é de todo ruim. Há bons cidadãos em Tulsa. Eles,

tanto quanto qualquer um, lamentam a mancha que não vai se apagar.

Precisamos de uma abordagem mais próxima dos princípios e ensinamentos da Regra de Ouro. O martelo e a garra, a pistola e o revólver criam o ódio. E o ódio nos leva à destruição.

Não há lugar para o ódio na agenda cristã.

Vamos tornar este país seguro para seus próprios cidadãos e gentil em relação aos outros.

O SISTEMA ESCOLAR SEGREGADO DE TULSA

O sistema escolar segregado de Tulsa talvez seja o padrão mais confiável pelo qual podemos avaliar o progresso de seus cidadãos negros desde que saíram da turma da "vila". Apesar do fato de a área comercial de Tulsa ter crescido rapidamente, quase que "da noite para o dia", nosso sistema escolar segregado conseguiu acompanhar esse ritmo acelerado. Quando Tulsa se destacou como a metrópole negra do Sul, antes de 1º de junho de 1921, nossas escolas mantiveram a mesma classificação entre as instituições educacionais dessa região. Duas escolas, a Dunbar e a Washington, foram construídas numa época em que o crescimento da população negra de Tulsa foi incalculável. A Dunbar, uma estrutura com oito salas, tornou-se inadequada e o excedente foi encaminhado à escola Liberty, na parte nordeste da cidade. A Booker T. Washington, nossa escola de ensino médio, cresceu de uma estrutura com quatro salas para um moderno prédio de tijolos com quinze salas. Oito prédios de tijolos respondiam pelos níveis intermediários no terreno da escola. Trinta e nove professores, representantes das melhores faculdades do país, foram contratados para ensinar aos jovens, e não se empregou professor que não tivesse se formado em uma instituição reconhecida.

A coragem e a resistência dos negros de Tulsa desde o último mês de junho podem muito bem ser determinadas pelo progresso das escolas desde aquela época. Mil e quinhentas crianças foram matriculadas nas escolas no ano passado. Neste ano um pouco mais de 1600. Duas unidades extras foram construídas no terreno da escola de ensino médio para atender ao crescimento da demanda. Um prédio totalmente equipado e moderno tomou o lugar da Dunbar, que foi incendiada. Oito unidades circundam esse edifício e atualmente turmas da manhã e da tarde são organizadas para acomodar as crianças. Nossa escola de ensino médio é reconhecida por 28 unidades, e os que nela se formam são aceitos nas melhores faculdades do país sem exame. Os departamentos de ciência e comércio dessa escola estão entre os melhores do Sul. As escolas de Tulsa estão mantendo o mesmo ritmo de crescimento da cidade, e o crescimento de Tulsa não foi afetado pelos infelizes eventos recentes.

ONDE ESTÃO OS MORTOS?

Chegamos a um ponto no curso do tempo em que toda pessoa de coração honesto deveria dizer, na linguagem de São Paulo: "Seja Deus verdadeiro, e todo homem mentiroso" (Rm 3:4). Então vamos apresentar a questão segundo a palavra de Deus. "Os mortos não louvam ao Senhor, nem os que descem ao silêncio" (Sl 115:17). "Uma geração louvará as tuas obras à outra geração, e anunciarão as tuas proezas" (Sl 145:4). "Porque os vivos sabem que hão de morrer, mas os mortos não sabem coisa nenhuma, nem tampouco terão eles recompensa, mas a sua memória fica entregue ao esquecimento. Também seu amor, seu ódio e sua inveja já pereceram, e já não têm parte alguma, para sempre, em coisa alguma do que se faz debaixo do sol.

Tudo quanto te vier à mão para fazer, faze-o conforme as tuas forças, porque na sepultura, para onde tu vais, não há obra nem projeto, nem sabedoria alguma" (Ec 9:5,6,10). Por que pessoas inteligentes deveriam pagar grandes somas de dinheiro a Sacerdotes (que não são nada além de homens pecadores) para que façam orações por pessoas nessa condição? O salmista diz: "Porque na morte não há lembrança de ti; no sepulcro, quem te louvará?" (Sl 6:5).

Mas ouço alguém perguntar: "Não existe um Inferno?". Nós respondemos que sim, com certeza existe. Mas o Inferno da Bíblia não é um lugar de tormento consciente infligido por um falso demônio ou coisa do tipo. O Inferno mencionado na Bíblia é a condição da morte, do esquecimento, do túmulo, da sepultura ou, em outras palavras, é uma condição de inexistência. A única palavra do Velho Testamento traduzida como "Inferno" é o termo hebraico "sheol", e é mais frequentemente traduzido como "sepultura" do que como "Inferno", e significa a mesma coisa em ambos os casos. Daremos alguns exemplos.

Jacó, abatido devido à suposta morte de seu filho José, disse: "Chorando descerei ao sheol (Inferno) de meu filho" (Gn 37:35). Depois, quando foi exigido que enviasse Benjamim ao Egito, disse ele: "Meu filho não irá com vocês para o Egito, porque se o mal o abater vocês vão levar meus cabelos grisalhos com dor para o (sheol) inferno" (Gn 43:38). Se Inferno significa tormento consciente pelo fogo, nós indagamos: "Quanto tempo iriam durar os cabelos grisalhos de Jacó num lugar assim? Será que Deus tornaria os cabelos grisalhos imortais a fim de atormentá-los?".

Jó era um homem bom e piedoso. Depois de sofrer a perda de todas as suas posses mundanas; seus filhos assassinados, sua mulher se tornou sua inimiga, os vizinhos zombando de seu sofrimento, seu corpo pútrido com feridas abertas, sofrendo dores físicas e angústia mental, nessa condição horrível, ele orou para que Deus o mandasse ao Inferno. "Quem dera me escondesses na sepultura (sheol) e me ocultasses até que a tua ira se fosse" (Jó 14:13). Será que alguma pessoa sensata acredita que Jó orou para ser levado a um lugar onde seria atormentado e sofreria uma agonia maior do que a que já estava sofrendo? Se estivesse nessa posição, você pediria para ir a um lugar onde seria eternamente atormentado? Jó define o Inferno. Ele diz: "Se eu olhar a sepultura (sheol) como a minha casa, se nas trevas estender a minha cama, desceremos juntos ao pó?" (Jó 17:13-16). Se no Inferno reina a escuridão, não pode haver fogo. Mais uma vez, ele (Jó) disse, preocupado: "Os seus filhos recebem honra, sem que ele o saiba; são humilhados, sem que ele o perceba" (Jó 14:21).

Jeová, por meio de seus profetas, previu que Jesus iria para o Inferno, e Ele foi. Foi para o mesmo Inferno para o qual vão os outros mortos, e Ele estava morto até o terceiro dia, quando Deus O levantou. Referindo-se a Ele, o salmista escreveu: "Não deixarás a minha alma no Inferno" (Sl 16:10). Esse texto é citado, com aprovação, pelo apóstolo Pedro em Atos 2:27. Se o Inferno é um lugar de tormento consciente, com duração eterna, teria sido impossível para Jesus sair dali; ao passo que as Escrituras provam conclusivamente que Ele foi tirado de lá no terceiro dia.

O Novo Testamento trata do mesmo "Inferno". Como sabemos, o Novo Testamento foi traduzido do grego e a palavra grega "Hades" significa o mesmo que "sheol" em hebraico. Na versão revista do Novo Testamento, a palavra grega "Hades" não foi traduzida. Evidentemente, os tradutores tiveram vergonha de traduzi-la como "Inferno" depois que a esse termo foi associado o eterno tormento. Nossa versão comum oferece três palavras diferentes significando "Inferno" no Novo Testamento, e as pessoas têm sido há muito ensinadas por um bando de pregadores que essas palavras significam tortura eterna. Não há um só caso, como sabe muito bem qualquer pastor digno desse título, ou estudioso, em que a palavra "Inferno", tal como usada nas Escrituras, signifique um lugar de tormento consciente. Além de "Hades" em grego, há duas outras palavras traduzidas como "Inferno" no Novo Testamento: a saber, Gehenna e Tartarus. Vamos examinar um texto sobre cada uma delas.

Dirigindo-se ao povo de Cafarnaum, Jesus disse: "E tu, Cafarnaum, que te levantaste até o céu, até o inferno serás abatida" (Lc 10:15). Espero que ninguém seja tolo a ponto de pensar em Cafarnaum, a orgulhosa cidade com suas terras, casas e população, como um lugar de eterna torrefação. O povo de Cafarnaum foi bastante favorecido e, figurativamente falando, intensamente exaltado nos arquétipos dos povos e nações; mas por causa do uso indevido das bênçãos divinas, o Senhor Jesus disse que eles, como povo, deveriam ser lançados a Hades; ou seja, derrubados, destruídos, relegados ao esquecimento ou, em outras palavras, que a orgulhosa cidade seria rebaixada a uma condição semelhante a nunca ter existido. É agora um fato histórico que Cafarnaum foi tão profundamente enterrada no esquecimento que nem mesmo o lugar onde se situava é definitivamente conhecido.

Jesus dirigia-se ao povo daquela época com parábolas ou provérbios, e assim usava uma linguagem simbólica como mostramos há pouco. "Tudo isso disse Jesus por parábolas à multidão, e nada lhes falava sem parábolas" (Mt 13:34). Mais uma vez disse Ele: "Tu és Pedro ("Petros", em grego, rocha ou pedra, uma das pedras vivas, de espírito forte, caráter vigoroso), e sobre essa pedra ("Petra", em grego, massa rochosa, verdade fundamental, a grande verdade de que Jesus é o Cristo) edificarei a Minha igreja (composta de seguidores fiéis como São Pedro), e as portas do Inferno ("Hades", em grego) não prevalecerão contra ela" (Mt 16:18).

Parafraseando, poderíamos entender que essas palavras significam que Jesus fundou a igreja, que é Seu corpo, composto de muitos membros (Cl. 1:18; Co. 12:12), e toda a amarga e implacável perseguição sofrida por Seus fiéis seguidores por toda a Época do Evangelho, e que os levou ao Inferno, ao sepulcro, ao mesmo lugar para o qual Ele foi, não deveria prevalecer até seu total extermínio porque, no devido tempo divino, a igreja seria criada na primeira ressurreição (Ap. 20:6).

Mais uma vez, disse Jesus: "Sou aquele que vive. Estive morto, mas agora estou vivo para todo o sempre! E tenho as chaves da morte e do inferno (Hades, o sepulcro)" (Ap 1:18). As chaves significam o poder de destravar. Essa declaração de Jesus é ao mesmo tempo a de que Ele estava morto, mas agora ressuscitou e está vivo para todo o sempre, e tem o poder de abrir a tumba, o túmulo, a condição da morte, e fazer os mortos voltarem à vida na hora da ressurreição.

"O lago de fogo e enxofre" é várias vezes mencionado no Livro do Apocalipse, que todos os cristãos admitem ser um livro de símbolos. Entretanto, a maioria deles, sob a influência dos ensinamentos de pregadores egoístas e ignorantes, pensa e fala sobre esse símbolo em particular como se fosse uma declaração literal que sustenta a doutrina do eterno tormento, não obstante o fato de ele ser claramente definido como significando uma segunda morte. "E a morte e o inferno foram lançados no lago de fogo. Esta é a segunda morte" etc. (Ap. 20:14). Ele é por vezes descrito como um "lago de fogo que arde com enxofre" (Ap. 19:20). O elemento enxofre sendo mencionado para intensificar o símbolo da destruição, da segunda morte. O enxofre em chamas é um dos elementos mais mortais conhecidos. É destrutivo para todas as formas de vida. O simbolismo desse lago de fogo e enxofre é também mostrado pelo fato de a besta e o falso profeta simbólicos, assim como a morte e o Inferno (Hades), e também o demônio e seus seguidores, serem nele destruídos (Ap. 19:20; 20:10, 14, 15; 21:8).

Caros amigos, eu ficaria mais que satisfeito se alguns desses falsos professores ou seus seguidores que acreditam na "doutrina do lago de fogo e enxofre" me dissessem quem vai manter aceso esse fogo quando o diabo e seus seguidores forem destruídos no tal lago. Vocês sabem que as Escrituras supracitadas afirmam categoricamente que o Diabo será destruído nesse lago.

Todos os sacerdotes dignos do nome sabem que essa doutrina do eterno tormento num lago de fogo e enxofre é absolutamente falsa, mas, por causa de seus interesses mesquinhos (o amor ao dinheiro e a honrarias imerecidas), não vão revelar a verdade.

Irmão Parsons, ouça meu conselho como alguém que lhe tem amor. Se você contar a verdade e defendê-la com coragem, e viver com seu povo. Se não fizer isso, muito em breve vai se ver encurralado pelas demandas do povo pela verdade. Se esperar até que chegue a essa situação, a única coisa que poderá fazer é ir embora assim que puder, pois sua figura se tornará um fedor para a narina moral das pessoas que amam a verdade.

Richard J. Hill

CRUZ VERMELHA AMERICANA

Logo após a catástrofe de 1º de junho do ano passado, a Cruz Vermelha Americana foi chamada e recebeu carta branca para lidar com os problemas de assistência e reconstrução.

O relato de suas atividades durante os meses subsequentes é muito bem conhecido para precisarmos repeti-lo. Nos primeiros dias que se seguiram ao tumulto, fazia-se necessária uma ajuda imediata a quase todas as vítimas, independentemente de classe ou recursos.

Foi então que uma grande massa se aglomerou na escola Booker T. Washington, onde a Cruz Vermelha tinha se instalado, em busca de satisfazer as mais básicas necessidades da vida, como abrigo, alimento e roupas. Essa primeira crise logo foi aliviada quando as pessoas dotadas de alguns recursos ou instrumentos puderam enfrentar seus problemas pessoais.

No entanto, uma grande escassez continuou durante o verão e no inverno, e sem dúvida levará meses ou mesmo anos até que as condições sejam basicamente iguais às dos dias anteriores ao Desastre.

Registros do arquivo da Cruz Vermelha mostram que, durante os sete meses entre 1º de junho e 1º de janeiro, haviam sido atendidas 2480 famílias (8624 pessoas), que mais de 150 mil metros de madeira e 45 mil de tecido foram distribuídos, e que um total de 100 mil dólares foi gasto para o alívio real dos sofredores.

Os números a seguir, tirados do relatório oficial da Cruz Vermelha, podem dar uma ideia da abrangência do trabalho realizado:

Total de famílias cadastradas: 2480
Total de pessoas nessas famílias: 8624
Famílias definitivamente atendidas com roupas, camas, roupas de cama, tendas, utensílios de lavanderia, utensílios de cozinha, pratos, material de costura etc.: 1941
Igrejas alocadas em Tendas da Cruz Vermelha: 8
Receitas prescritas (fora do hospital): 230
Serviços médicos (relativos a maternidade, febre tifoide e doenças infantis): 269
Pequenos reparos em propriedades: 88

Transporte fornecido (estimativa): 475
Telegramas enviados ou recebidos (relativos a vítimas do tumulto): 1350

A Cruz Vermelha Americana encerrou oficialmente seu trabalho de atendimento a vítimas do Desastre em 31 de dezembro de 1921, deixando como legado às pessoas de cor o hospital Maurice Willows, situado no número 324 da North Hartford Street. Esse hospital, da forma como existe agora, é produto de um trabalho de assistência médica realizado durante tempos mais turbulentos. Um grande trabalho foi realizado a fim de atualizar essa instituição e torná-la eminentemente moderna, e esse hospital é, provavelmente, o trabalho mais construtivo de tudo o que foi feito pela Cruz Vermelha aqui em Tulsa.

Sua valorização deverá ser mais bem demonstrada no futuro, uma vez que estão sendo transmitidos a pessoas de cor seu controle e gerenciamento.

ALGUMAS DAS ATIVIDADES DE A. J. SMITHERMAN EM TULSA, OKLAHOMA

Editou e publicou o *Tulsa Star*, jornal semanal por ele fundado em Muskogee, onde era publicado como *Muskogee Star*. Mudou-se para Tulsa na primavera de 1913. Por três anos editou e publicou o *Daily Tulsa Star*.

Era um democrata consciente e, graças a sua influência, fez muito bem para sua raça do ponto de vista político. Foi em grande parte devido a essa influência que as pessoas de cor de Tulsa tinham total liberdade no exercício de seu direito de voto. Ele era persistente e inflexível na luta consciente, com a voz e com a caneta, que travou por direitos iguais para seu povo. Odiava com toda a sua alma as leis de Jim Crow* e as iniquidades a ela associadas e as enfrentou incessantemente, pois, como disse: "Isso é errado por princípio e não pode trazer bons resultados".

Ele lutou com sucesso pela criação de um conselho eleitoral composto inteiramente por homens de cor depois de ver fracassarem seus esforços para que estes integrassem tais conselhos juntamente com brancos. Era necessário redistribuir os distritos municipais, mas isso foi feito, e Tulsa teve a distinção de ser a primeira e única cidade do país a ter um conselho eleitoral composto exclusivamente de homens de cor. O próprio sr. Smitherman participou desse conselho durante seu primeiro ano como inspetor eleitoral. O conselho era composto de representantes dos dois principais partidos, conforme exigido por lei, e seus membros serviam à cidade, ao condado e ao estado, com muito mérito para eles próprios e para sua raça.

Essa e muitas outras coisas que vieram a acontecer em Tulsa, sob uma administração municipal democrata, assim como governos do condado e do estado das mesmas cores políticas, tenderam a justificar e fortalecer o editor do *Tulsa Star* em sua posição a favor da democracia, e muitos antigos republicanos ortodoxos, inflexíveis, em razão de tradições raciais, passaram

* Termo que designa as leis segregacionistas adotadas pelos estados sulistas norte-americanos após a derrota na Guerra de Secessão, num processo em que, segundo historiadores como W. Sherman Jackson, o Sul perdeu a guerra, mas ganhou a paz. Isso incluiu desde a restrição dos direitos de voto até a proibição de negros frequentarem uma diversidade de ambientes reservados para brancos, de bares e restaurantes a escolas e hospitais, sem esquecer a segregação residencial. O nome Jim Crow é associado a uma canção, "Jump Jim Crow", lançada na década de 1830 por um intérprete branco pintado de preto (*black-faced*), que se tornou uma forma pejorativa de se referir aos negros. Essas leis só seriam abolidas a partir das décadas de 1950, quando a Suprema Corte considerou inconstitucional a segregação nas escolas públicas (caso *Brown x Board of Education of Topeka*), e 1960, com as Leis dos Direitos Civis e dos Direitos de Voto. (N.T.)

a se identificar com o Partido Democrata. Esse conselho, um hospital de pessoas de cor e uma biblioteca para pessoas de cor, mantidos por uma administração municipal democrata, foram abolidos pela administração republicana que a sucedeu.

Em 1917, quando uma turba incendiou as casas de vinte famílias de cor em Dewey, Oklahoma, A. J. Smitherman foi pessoalmente à cidade dominada por esse bando, investigou o problema e voluntariamente relatou seus achados ao governador R. L. Williams, o que resultou na prisão de 36 homens, incluindo o prefeito da cidade.

Em 1918, quando houve uma tentativa de linchar um jovem de cor em Bristow, Oklahoma, A. J. Smitherman, que então atuava como juiz de paz do condado de Tulsa, acompanhado de três homens de cor dotados do mesmo espírito, foi imediatamente para lá, depois de enviar telegramas urgentes ao governador pedindo ajuda do estado. O jovem foi salvo, mas Smitherman foi atraído para a turba por um homem de cor que ainda reside em Bristow. Depois de mais de uma hora nas mãos da turba, ele conseguiu escapar e corajosamente publicou os fatos em seu jornal.

Pouco depois, ainda em 1918, o editor Smitherman atraiu considerável atenção quando ele e o irmão, J. H. Smitherman, dirigiram-se à casa de um eminente homem branco, diretor de uma empresa pública e secretário do Conselho Distrital de Isenção, e resgataram à força uma senhora de cor idosa que tinha sido trazida da Louisiana pela família e estava sendo mantida em regime de escravidão. Ele levou a mulher para sua própria casa e a manteve como hóspede até que parentes viessem buscá-la. Por esse ato, ele foi obrigado a comparecer diante do Conselho de Defesa do Condado e julgado sob a acusação de ser "perigoso para a paz e a segurança de nosso país". Não permitiram que tivesse um advogado, mas se manteve firme e defendeu-se ao perceber que pretendiam confiscar suas propriedades. Um dos membros do Conselho de Defesa que mantinha relações amistosas com o editor afirmou depois disso: "Só a coragem e a hombridade de Smitherman o salvaram".

Em 1919, quando o presidente Wilson percorreu o país em defesa do programa da Liga das Nações, o editor Smitherman foi uma das poucas pessoas escolhidas pelo governador para participar de uma comissão de recepção do presidente e foi um dos escalados para fazer um discurso por ocasião da visita do chefe do executivo a Oklahoma City. Foi o único homem de cor a receber tal honraria.

As pessoas de cor de Oklahoma, assim como muitas pessoas brancas, vão se lembrar de A. J. Smitherman por bastante tempo pelo bem que ele fez aqui. Em 1914, quando as pessoas de cor da cidade acordaram certa manhã para descobrir que tinham sido cruel e arbitrariamente atacadas por um pastor de uma de suas principais igrejas brancas e se reuniram para decidir o que fazer, Smitherman saiu nobremente em defesa de seu povo num artigo muito bem escrito publicado no *Tulsa World* em resposta ao ataque do pregador branco, que foi anunciado não apenas de seu púlpito, mas também nas colunas do *Tulsa World*.

Sua réplica foi tão oportuna, tão habilmente redigida em resposta aos ataques absurdos do pregador branco contra a raça de cor como um todo, que até mesmo homens e mulheres brancos a elogiaram. O editor recebeu muitas cartas de estima e sinais de aprovação de lideranças de ambas as raças. Também recebeu convites para falar em igrejas brancas após a publicação de seu artigo.

Diz-se que o pastor tentou formar uma "comissão" (uma turba) para confrontar Smitherman por causa do artigo, mas nisso ele falhou.

O *Tulsa Star* tinha um poder reconhecido na política de Oklahoma devido a sua ampla circulação e à influência que exercia. Suas instalações, avaliadas em 40 mil dólares ou mais, eram das mais bem equipadas dentre as que pertenciam a membros da raça no país, empregando trabalhadores brancos e de cor. Elas, assim como a casa de seu editor, foram totalmente destruídas pelo massacre de 1º de junho de 1921. E o próprio editor teve de sair da cidade com a esposa e os cinco filhos depois das acusações absurdas disseminadas juntamente com os distúrbios na noite anterior. Fez-se a acusação de que seu jornal era responsável pelo "levante dos homens de cor contra os brancos de Tulsa" e de que ele os teria reunido em seu escritório para resistir à turba que tentava linchar Dick Roland.

A FÚRIA DA TURBA E O ÓDIO RACIAL COMO UM PERIGO NACIONAL

(Trechos da revista *Literary Digest*, 18 de junho de 1921)

"Há um problema na vida dos americanos para o qual não vejo solução. É o problema da raça, a questão do negro." Essas palavras de Grover Cleveland são mencionadas pelo *Louisville Courier-Journal* no editorial que discute a súbita e terrível deflagração da fúria coletiva e do ódio racial em Tulsa. Nessa cidade de Oklahoma, que, segundo um dos jornais, "tem a maior renda per capita de qualquer cidade do mundo", os rumores de que um garoto de cor seria linchado levaram um grupo de negros armados à cadeia a fim de evitar que isso ocorresse. Com grupos de brancos e negros se enfrentando, alguém disparou um tiro e o resultado foi uma batalha campal com muitas vítimas, o incêndio da área negra da cidade e o acréscimo, como observou o *New York Evening Post*, de "um capítulo medonho à história de uma desgraça nacional". Pois, embora a causa imediata da tragédia de Tulsa tenha sido sumariamente descrita como "um negro imprudente, uma garota histérica e um repórter de um jornal da imprensa amarela", as condições que propiciaram o pavio para essa fagulha não são peculiares a Tulsa nem a Oklahoma, mas existem em graus variados, como nos dizem, em todas as partes do país em que os negros são numerosos o bastante para constituírem um problema. Segundo o editor de um semanário negro de Nova York, a guerra racial é latente em muitas cidades americanas e, "tal como em Nova York, é um paiol. Tudo de que precisa é que se ative um detonador". As causas por trás da explosão de Tulsa e eventos similares nos últimos anos, aponta-nos o editorial, são: a lei do linchamento, a servidão, o preconceito racial, a rivalidade econômica entre negros e brancos, a propaganda radical, o desemprego, a corrupção política e o novo espírito de autoafirmação do negro. Entre as soluções propostas estão: nova legislação, aplicação estrita e imparcial da lei, sindicalização dos negros e a Regra de Ouro.

"O horror de Tulsa" levou o *Kansas City Journal* a refletir sobre "a exiguidade do limite entre a civilização da selvageria". "Temos neste país um problema racial hediondo, e ignorá-lo é apenas postergar a dívida", declara o *St. Louis Post-Dispatch*, que não esqueceu a guerra de raças de quatro anos atrás em sua cidade vizinha, East St. Louis, em que 125 pessoas foram mortas. Esse problema, garante-nos o *Post-Dispatch*, "não pode ser resolvido por meio de tumultos, de incêndios e assassinatos". "Estamos rumando neste país para um conflito racial mais amplo que os limites de uma cidade — maior, talvez, que um estado", afirma o *Star* da mesma cidade, o qual pergunta: "Vamos continuar seguindo nessa mesma direção?". "Nenhuma comunidade sabe quando poderá ser atingida por afrontas semelhantes", diz o *Oklahoma City Times*, o qual está convencido de que "O perigo dos distúrbios raciais é acrescido pela orgia do terrorismo em Tulsa". "Não é uma questão em que esteja envolvida a única concepção verdadeira de governo", declara o *Tulsa World*. "A violência das turbas se tornou comum e, se essa tendência não for confrontada, não se pode prever a profundidade da dor que virá", diz o *Leader*, de Oklahoma City. "Se o conflito de Tulsa tivesse ocorrido em Vera Cruz, o povo americano teria lamentado a ausência da lei entre os mexicanos e considerado isso chocante", observa o *New York Times*, e o *Nashville Tennesseean* pensa que "O crime de Tulsa vai fazer com que muitos de nós hesitem antes de condenar outras raças como desqualificadas para o autocontrole". "Esse não foi o primeiro conflito racial nos últimos anos a ocorrer fora da linha Mason-Dixon",* observa o *Wilmington Every Evening*, que relembra os seguintes fatos:

"Em East St. Louis, Illinois, que é decididamente uma cidade do Norte, 125 pessoas foram mortas em 7 de julho de 1917. Em Washington, D.C., sete pessoas foram assassinadas e dezenas feridas nos distúrbios que começaram em 19 de julho de 1919. Poucos dias depois, a partir de 26 de julho, em Chicago, que com certeza não é uma cidade sulista, 38 pessoas foram mortas e quinhentas feridas. Em 2 de outubro do mesmo ano, em Elaine, Arkansas, que se autodenomina parte do Meio-Oeste, trinta pessoas foram mortas e centenas feridas nos conflitos de rua. Três dias antes disso, em Omaha, Nebraska, indubitavelmente uma cidade do Oeste, três pessoas foram mortas em conflitos raciais e muitas ficaram feridas. O prefeito da cidade foi enforcado pelos arruaceiros, mas conseguiu cortar a corda em tempo e salvou sua vida."

* Fronteira entre os estados de Pensilvânia, Maryland, Delaware e Virgínia Ocidental, que veio a ser considerada a divisa entre o Sul e o Norte dos Estados Unidos. (N.T.)

A culpa pela tragédia de Tulsa, afirma o escrupuloso jornal sulista *Dallas News*, "deve ser atribuída principalmente à raça branca", e no *Emporia Gazette* lemos: "Evidentemente, não foi o melhor da raça branca que criou a situação infernal de Tulsa. Apesar disso, boa parte da raça branca é responsável. A liderança de uma comunidade é responsável pelas ações da comunidade".

"Não importa quem mate mais, as turbas são algo que incrimina todos os cidadãos e os melhores cidadãos mais que quaisquer outros", concorda o *Call*, jornal negro publicado em Kansas City, e acrescenta: "afirmamos que a civilização branca é que está em julgamento quando negros são perseguidos, pois é a lei criada pelos anglo-saxões que é tratada com desprezo quando nossos direitos são desrespeitados". "Ficamos imaginando onde está um Tio Sam que vai ouvir os gritos de mulheres e crianças inocentes em Tulsa", exclama outro jornal negro, o *St. Louis Argus*; e em outro ainda, o *Black Dispatch*, de Oklahoma City, lemos: "Qualquer que seja a questão, permanece o fato inquestionável de que em Tulsa, numa terra do homem branco, os negros tentaram preservar a lei enquanto os brancos tentavam destruí-la".

A nação precisa acordar para o que a lei dos linchamentos e dos distúrbios raciais estão custando, nossa imprensa seriamente nos adverte. Esse terror de Tulsa vai aparecer nas manchetes sensacionalistas de todos os jornais da Cidade do México e tornará ainda mais difícil para nosso Departamento de Estado convencer os mexicanos de que somos realmente sinceros no que se refere à proteção da vida e das propriedades dos americanos, observa o *Chicago Evening Post*, que prossegue, afirmando que: "Neste momento, estamos retendo uma valorosa ajuda ao governo mexicano porque temos dúvidas quanto à segurança da vida e das propriedades sob esta jurisdição, mas aos olhos dos mexicanos a explosão de Tulsa vai fazer-nos cair de nosso pedestal". Além disso, acrescenta, essas convulsões "prejudicam mais do que percebemos a imagem dos Estados Unidos perante as nações estrangeiras". "Os americanos têm denunciado com veemência os pogroms na Polônia, os massacres na Armênia, na Rússia e no México, e foram prontamente à guerra para vingar as vítimas dos bárbaros líderes militares alemães, mas, a menos que possamos criar neste país um sentimento público forte o bastante para impedir surtos de intolerância como o que Tulsa testemunhou, seremos incapazes de protestar no futuro com algum respaldo moral contra qualquer coisa que possa acontecer em partes menos favorecidas do mundo", ressalta o *Houston Post*, o qual nos adverte de que "o problema racial não está sendo solucionado em lugar algum do país".

A explosão de guerra racial em Tulsa "foi tanto injustificável quanto desnecessária", aponta o *Tulsa World*. Os eventos que constituíram essa tragédia de erros foram delineados pelo correspondente Walter F. White, do *New York Evening Post*:

"A causa imediata dos distúrbios foi uma garota branca ter afirmado que Dick Rowland, um jovem de cor de dezenove anos, tentara atacá-la. Sarah Page, a garota, era uma ascensorista que trabalhava no edifício Drexel, em Tulsa. Ela disse que o rapaz de cor tinha agarrado seu braço ao entrar no elevador. Rowland declara que tropeçou e pisou acidentalmente no pé da garota. Ela gritou. Rowland correu. No dia seguinte, o *Tulsa Tribune* relatou a acusação e a detenção de Rowland.

"O Chefe de Polícia John A. Gustafson, o Xerife McCullough, o Prefeito T. D. Evans e alguns cidadãos respeitáveis, dentre os quais um proeminente empresário da área petrolífera, declararam que a garota não fora molestada e que nenhuma tentativa de ato criminoso tinha sido cometida. Victor F. Barnett, editor-executivo do *Tribune*, afirmou que seu jornal havia descoberto então que a história original de que a menina tivera o rosto arranhado e as roupas rasgadas não era verídica.

"Logo que o *Tribune* apareceu nas ruas na tarde de terça-feira, correu o rumor sobre um bando de linchadores" que iria vingar a pureza de uma mulher branca. Rowland foi então levado para uma cadeia situada no último andar do tribunal do condado de Tulsa, um prédio grande de três andares. O xerife McCullough me afirmou que já às dezesseis horas de terça-feira (o *Tribune* chegou às ruas com a matéria sobre a suposta agressão às 15h15) o comissário de polícia J. M. Adkison o informou de que havia rumores sobre Rowland ser linchado naquela noite.

Por volta das nove da noite, havia de trezentos a quatrocentos veículos em torno do tribunal. Mais ou menos às 21h30, 25 negros foram para o tribunal armados a fim de proteger Rowland. O xerife os convenceu a voltar para casa, mas uma hora depois eles retornaram, dessa vez, com o número ampliado para 75. O xerife novamente os convenceu a ir embora, quando então foi disparado um tiro. Aí, nas palavras do próprio xerife, "o inferno desabou sobre nós".

"Bandos de brancos armados invadiram lojas de ferragens e casas de penhores e as saquearam, levando armas e munições. Homens de cor lutaram bravamente, um deles enfrentando cinco membros da turba que atacou a área dos negros. Perto do amanhecer, uma batalha campal estava em curso, com a linha férrea servindo de divisória entre as duas forças. Logo em seguida, os bandos de brancos, que a essa altura já contavam com mais de 10 mil, invadiram a área dos negros, que resistiram com determinação. Latas de óleo foram lançadas e os incêndios tiveram início. Bombeiros que tentavam apagar as primeiras chamas foram alvo de tiros e se retiraram."

O *Tulsa Tribune* e o *World* concordam em que o problema poderia ter sido cortado pela raiz por meio de uma ação resoluta por parte das autoridades municipais para dispersar a turba assim que ela começou a se formar, e seus correspondentertes apresentam o governador J. B. A. Robertson como alguém que compartilha dessa visão. "Sem dúvida alguma, o problema poderia ter sido contido no nascedouro se uma ação rápida e inteligente tivesse sido realizada pelos policiais", afirma o *Muskogee Phoenix*, e o *Times-Democrat*, da mesma cidade de Oklahoma, concorda em que "em Tulsa, os braços da polícia ficaram totalmente paralisados diante dos distúrbios por 24 horas". "O acúmulo de todas as histórias relacionadas ao desastre indica claramente que ele foi o ápice de um contínuo desrespeito pela lei nesta cidade por um longo período", afirma o *Tulsa Tribune*.

Mas, por trás dos fatores imediatos do motim de Tulsa, observadores da imprensa buscam causas mais profundas. "Um único incidente nunca provoca um conflito racial; as causas foram se acumulando durante semanas e meses antes do conflito", constata James Weldon Johnson, secretário da Associação Nacional para o Progresso das Pessoas de Cor, que prossegue afirmando que: "Se as histórias contadas por refugiados de Oklahoma forem verdadeiras, condições análogas à escravidão, semelhantes às que foram recentemente reveladas pelo governador Dorsey na Geórgia, prevalecem em Oklahoma. O roubo das posses dos negros, a queima de seus lares, brutalidades de todo tipo e trabalhos forçados em troca da mera subsistência acabarão inevitavelmente causando problemas".

Enquanto ao negro forem negados total ou parcialmente os direitos e imunidades que lhe são garantidos pela lei do branco, "o caminho está aberto para a repetição de tragédias como a que aconteceu em Tulsa", afirma o *New York World*, no qual também lemos que:

"O governo deixou de existir por enquanto e as ruas de Tulsa estão cobertas de sangue. Mas, em amplas áreas do país, o governo tem o hábito de deixar de existir onde os direitos jurídicos do negro são ameaçados. Embora homens brancos sejam por vezes linchados quando acusados de crimes, o pressuposto geral é de que não o serão. Embora homens negros frequentemente não sejam linchados quando acusados de crimes, o pressuposto geral, em muitas partes dos Estados Unidos, é de que provavelmente o serão. Desse pressuposto veio a guerra racial de Tulsa."

"O cerne da situação é a existência de um latente espírito de linchamento", afirma o *New York Evening Post*. Sobre uma mudança de atitude por parte do negro, diz o *New York Globe*:

"Em função de suas experiências como soldado e por conta do alto valor atribuído a seu desempenho no período da guerra, ele se tornou menos submisso. Para o bem ou para o mal, é fato que, quando atacado pelo homem branco, é mais possível que ele revide do que cinco anos atrás."

O socialista *New York Call*, depois de entrevistar o sr. Chandler Owen, editor do *Messenger*, sobre os conflitos de Tulsa, relata que, "Uma causa significativa", acredita ele, "é a recente onda de desemprego, que atingiu mais fortemente os trabalhadores brancos do que os de cor pela simples razão de os negros aceitarem menores salários, sendo assim os últimos a ser despedidos. Isso tem causado grande ressentimento entre os trabalhadores brancos, que acusam os negros de terem tomado seus empregos".

O *Indianapolis News* pondera que tem muita sustentação o argumento do *Chicago Tribune* de que a corrupção política é o verdadeiro vilão da tragédia de Tulsa e de outros conflitos raciais nos Estados Unidos. Diz o *Chicago Tribune*:

"Se não houvesse em Tulsa, Chicago, Springfield ou East St. Louis uma aliança lucrativa entre a política e o vício ou o crime profissional, a pequena centelha que desencadeou todos esses ultrajes seria prontamente extinguida. Teríamos paz em nossas comunidades e a questão racial nunca chegaria ao ponto da loucura.

"A corrupção política é diretamente responsável pelos conflitos raciais. Temos de encarar o fato e não nos perder em considerações secundárias. Os distúrbios raciais não são problemas raciais — são problemas de governo. Não haverá distúrbios raciais onde a política não tiver corrompido o governo."

UM ESCRITÓRIO DE ADVOCACIA

O Spears, Franklin & Chappelle, um escritório de advocacia de pessoas de cor, com instalações espaçosas agora situadas na North Greenwood Avenue, 107 ½, desta cidade, foi criado no dia 2 de junho de 1921 e teve seu endereço temporário inaugurado numa barraca na East Archer Street, 607. A formação dessa sociedade jurídica surgiu da situação então presente naquele momento. O grande holocausto de 1º de junho de 1921 deixou a área das pessoas de cor em cinzas e em ruínas. Onde apenas alguns dias antes se erguiam prédios comerciais imponentes e mansões majestosas agora não havia nada além de montes de destroços e restos carbonizados a ponto de terem se tornado irreconhecíveis. As pessoas estavam confusas e, em muitos casos, totalmente desesperançosas. Essas jovens mentes brilhantes não mais demorariam a perceber que, se a moral da raça nesses lugares tinha de ser preservada, e suas propriedades, protegidas, algo precisava ser feito de imediato. Depois de uma estruturação apressada da sociedade, o escritório-barraca temporário foi erguido e equipado com máquinas de datilografia e outras coisas necessárias — providenciou-se uma cobertura e as pessoas foram convidadas a fazer do "escritório" seu quartel-general. Nesse "escritório" é que foram redigidos processos no valor de mais de 4 milhões de dólares contra o município de Tulsa e várias empresas de seguros. Era a esse escritório que milhares de pessoas iam diariamente para se consultar, obter consolo e conselhos sobre qual era o melhor caminho a seguir. Um sócio do escritório ficava assoberbado enviando pelo correio "pedidos" de ajuda às vítimas dos tumultos. Esses pedidos foram enviados aos milhares a todas as grandes organizações negras dos Estados Unidos e levou muito tempo para concluir o trabalho. Esse "escritório" pioneiro ofereceu gratuitamente auxílio e material de papelaria, exceto em alguns poucos casos, à Comissão de Assistência que tinha sido organizada.

Só no fim de novembro é que a firma conseguiu desmontar seu "escritório" e mudar-se para um de verdade no segundo andar do edifício Howard, situado na North Greenwood, 107 ½, como mencionado acima. E durante aqueles dias longos e quentes, e também frios, na verdade, essa firma se esforçou diligentemente para salvaguardar os interesses do povo. O projeto era tão grande — e a tarefa, tão fantástica — que os rapazes consideraram absolutamente necessário trabalhar durante vários domingos. Nisso tudo, havia uma coisa particularmente notável, que era o sorriso no rosto deles e as risadas felizes que se permitiam com muita frequência. Criaram a regra de não permitir que ninguém entrasse em seu "escritório" com semblante tristonho. Não foi fácil. Com necessidades e fome e uma angústia terrível assombrando mulheres e criancinhas em andrajos e extrema pobreza de todos os lados, era preciso ter nervos de aço e uma ilimitada fé em Deus para fazer isso. Em meio a essa imundície e a esse lixo e a essas ruínas por todos os lados todo riso que se ouvia parecia zombaria, e todo sorriso, hipocrisia.

Foi no dia 13 de agosto de 1921 que esse escritório de advocacia — o primeiro a fazê-lo — entrou com um processo para intimar e impedir que os membros do governo municipal interferissem ou, de alguma forma, atacassem as pessoas de cor que estavam reconstruindo seus lares consumidos pelas chamas em 1º de junho de 1921. Deve ser lembrado que os administradores municipais tinham aprovado e promulgado uma lei de prevenção a incêndios, cujo óbvio propósito era impossibilitar que pessoas de cor reconstruíssem suas casas. Uma vitória significativa foi obtida por esse escritório de advocacia nesse processo e isso, mais que qualquer outra coisa, estimulou a raça a realizar o trabalho que tinha pela frente. Todo negro que tinha sido preso pela violação de qualquer outra lei relativa a incêndios, esse escritório, gratuitamente, defendeu e em cada um dos casos foi bem-sucedido ao livrá-lo do problema que seu esforço de providenciar um abrigo para si mesmo e sua família havia causado. O escritório prossegue sem se intimidar e agora se prepara para abrir processos contra o município em favor de clientes que perderam propriedades em razão do incêndio de 1º de junho de 1921. Sem nenhuma ajuda financeira externa e sem fazer alvoroço nem promessas vazias, esse admirável escritório de advocacia está cumprindo regularmente seu dever no que se refere a atender seus clientes e sua raça, de modo geral, nessa área da cidade.

A JACKSON UNDERTAKING CO.

Eis uma empresa que pode ser o orgulho de qualquer cidade; na verdade, é difícil encontrar uma que seja igual ou superior a ela em cidades com populações muito maiores que a de Tulsa. O sr. S. M. Jackson, gerente-geral e um dos sócios mais antigos da empresa, e seu parceiro, o sr. J. H. Goodwin, pelo maravilhoso trabalho que prestam e pela forma gentil e cortês com que tratam o público, construíram uma empresa que é um monumento às empresas de negros e a sua eficiência.

Antes do desastre, essa empresa era um dos estabelecimentos mais bem equipados do Sudoeste, com uma linha de caixões que incluía desde os mais baratos até modelos na casa dos mil dólares etc., com carros fúnebres e veículos equivalentes. Sua última adição foi um carro de família de 10 mil dólares.

Num único dia tudo isso desapareceu, sobrando apenas o carro fúnebre e o carro de família (graças à gentileza de alguns amigos, que os conduziram para fora da zona de perigo).

O sr. Jackson graduou-se na Alcorn A. & M. College,* de Alcorn, Mississippi. Ele é também um embalsamador formado e especializado, e concluiu esse curso numa escola de embalsamamento em Cincinnati. O sr. Jackson, portanto, domina todas as artes de sua profissão e esse é um dos motivos de seu magnífico sucesso.

Esses empresários bem-sucedidos investiram maciçamente em imóveis, o sr. Goodwin possuindo e controlando algumas das mais valiosas propriedades de nossa área em Tulsa. Foi um dos mais prejudicados ao longo dessa linha quando o fogo de 1º de junho consumiu anos de realizações.

O sr. Henry e o sr. J. H. Nails são dois dos principais empresários de Tulsa. Antes do desastre eram donos de uma moderna sapataria equipada com tudo o que é necessário para manter uma loja de alto nível. Suas perdas foram estimadas em 4 mil dólares. Desde o desastre, eles reabriram o negócio na N. Greenwood, 121, e além de terem uma loja bem equipada, apresentam uma linha completa de discos da Black Swan.**

* Instituição de ensino superior historicamente negra, fundada em 1871. (N.T.)

** Gravadora de jazz e blues fundada em 1921 por afro-americanos no Harlem, Nova York. (N.T.)

SEGUNDA VISÃO DA CIDADE DE RUÍNAS

ST. LOUIS ARGUS, 21 DE ABRIL DE 1922
George W. Buckner,
representante especial da National Urban League

TULSA — "Maravilhosa" é a aclamação espontânea de qualquer um que visite Tulsa hoje depois de ter visto a área incendiada imediatamente após o desastre que lá teve lugar em 1º de junho do ano passado. A antiga área comercial amplamente concentrada na Greenwood Avenue foi transformada de muros esburacados e feios em modernas estruturas nas quais pequenos e prósperos negócios de todos os tipos atendem às necessidades do povo. As antigas áreas residenciais que se assemelhavam a um acampamento militar em plena guerra, depois de terem sido tomadas por tendas e barracas improvisadas, estão agora sendo rapidamente preenchidas por casas mais robustas. Mas muito poucas das tendas fornecidas pela Cruz Vermelha permanecem. Bastante para uma perspectiva material precipitada.

Que dizer da fibra demonstrada pelos negros? Permitam que seja dito sem reservas que a garra demonstrada desde o início pelos negros de Tulsa, em geral, deveria ser motivo de orgulho para toda a raça. Sob as condições mais cruéis e excruciantes, eles simplesmente ficaram de costas contra a parede determinados a morrer, se preciso fosse, em Tulsa.

Um homem abastado resumiu o sentimento geral ao revelar, "Eu disse outro dia aos comissários, quando me perguntaram o que eu iria fazer, que eu ia recomeçar bem aqui em Tulsa, onde havia começado antes". A maioria das pessoas que haviam adquirido qualquer propriedade que fosse a tinha comprado lá. É natural, portanto, que se sentissem vinculadas a seu lar. Com esse sentimento, os negros tiveram êxito ao exterminar o alvoroço quanto a suas terras serem tomadas para fins industriais. Conseguiram evitar que a zona de prevenção a incêndios fosse ampliada e ganhar para sua causa muitas pessoas brancas proeminentes. Outros problemas que parecem insolúveis para os negros de Tulsa, no entanto, são observados, e eles afetam as próprias raízes de seu progresso futuro.

Atual condição econômica

Em primeiro lugar, a prosperidade dos negros de Tulsa tem sido grosseiramente exagerada. Muitas das propriedades controladas por negros eram pesadamente hipotecadas. Diversos negros, contudo, possuíam de dez a vinte casas com uma renda variando entre 150 e 350 dólares por mês. Estas, em sua maioria, eram pequenas, com três cômodos. Também havia um quarteirão com excelentes moradias com valores que iam de 3 mil a 5 mil dólares cada, em geral pertencentes a profissionais liberais. A maioria dessas propriedades foi totalmente arrasada. A maior parte da área comercial sempre foi ou pesadamente hipotecada, ou de propriedade de brancos. O que os negros poderiam ter conseguido em mais três anos só se pode estimar.

Os novos prédios que agora estão sendo construídos por negros vêm sendo erguidos "no papel". As taxas de juros são exorbitantes e carpinteiros e pedreiros estão cobrando doze dólares por dia de trabalho. Não há um único prédio construído por negros que tenha sido concluído, pois a quantia tomada por empréstimo em cada caso não foi o suficiente. Fontes seguras, brancas e negras, afirmam que as pessoas simplesmente foram forçadas a descobrir rigorosamente a como pagar suas dívidas. Com efeito, os próximos doze meses serão o verdadeiro teste para o poder econômico do negro de Tulsa. Vale observar, contudo, que o crédito de muitos dos negros já foi restabelecido, pois diversas casas e empresas foram construídas com base numa "conta em aberto".

Grandes quantias não disponibilizadas

O público também deveria saber que as grandes somas que certas organizações negras nacionais prometeram doar nada mais foram, ao que parece, do que uma propaganda habilmente calculada em busca de novos membros. Não é possível exagerar, contudo, quando se elogia a Associação Nacional para o Progresso das Pessoas de Cor, que juntou e gastou mais de 3 550 dólares em trabalhos assistenciais e jurídicos. Nesse sentido, deve-se também mencionar a ação construtiva do serviço social realizado pela Cruz Vermelha, que doou e despendeu mais de 100 mil dólares com assistência social. A mera ninharia doada por duas organizações negras a seus membros individuais foi uma vergonhosa reprovação à liderança inteligente. Esses montantes, embora reduzidos, deveriam ter sido usados de maneira mais útil, por exemplo, na construção de casas, prédios de escritórios ou estabelecimentos comerciais. Tulsa precisa urgentemente de casas e estabelecimentos empresariais, e os que estão em processo de construção precisam ser adequadamente financiados. A "Irmandade dos Homens" é, sem dúvida, insignificante, a menos que essas pessoas, numa base puramente comercial, se unam para enfrentar seu período mais crítico.

Além disso, a grande maioria dos ex-proprietários de casas agora não consegue obter crédito algum, nem mesmo sob juros excessivos. O resultado será entregarem sua terra aos brancos. Essas pessoas, como você pode ver, terão vivenciado tanto uma "queima" quanto um "congelamento". Em função de um inverno mais ameno, não houve, felizmente, sofrimento agudo ou necessidade maior de comida e roupas. Assim, a situação econômica em Tulsa deve ser vista agora pelo país como um todo, não pela perspectiva do sentimento, mas com base em sólidos princípios de negócios. A reabilitação econômica significará o renascimento da população negra de Tulsa, assim como o fracasso econômico significará a morte do espírito de um povo digno e a vergonha de toda a raça.

Falta de liderança social

Além dos problemas econômicos que esses negros enfrentam, existe outro de igual importância — a falta de liderança social. Talvez seja correto dizer que não exista, hoje, em nosso país, uma cidade que ofereça maiores oportunidades para o serviço social do que Tulsa. Aqui, 8 ou 10 mil negros vivem numa área totalmente segregada. Seu contato com brancos, exceto por relações comerciais e domésticas, tem sido quase nulo, e eles parecem não apenas satisfeitos com tais condições, mas também têm lucrado com esse isolamento, usando-o como estímulo para o orgulho e o progresso da raça. As necessidades e as realizações dos negros de Tulsa não chegaram, portanto, ao conhecimento dos brancos. Nesse sentido, deveria ser declarado que muitas coisas boas foram realizadas pela ACM negra antes de ela ser desativada no verão passado, após o desastre. Esse trabalho teve o apoio das pessoas de cor, enquanto apenas uns poucos brancos influentes estabeleceram relações de proximidade com os negros mais inteligentes.

Em um esforço para desenvolver um programa de serviço social que efetivaria relações de cooperação entre as raças, a National Urban League enviou-me a Tulsa poucos dias após os distúrbios e mais uma vez em julho. Estou agora escrevendo enquanto deixo Tulsa, após ficar lá por duas semanas, onde tive contato com líderes dos grupos dos brancos e das pessoas de cor com o propósito de estabelecer um braço do Movimento da National Urban. Descobri que os líderes negros agora percebem que deve haver em Tulsa uma organização de serviço social com forte liderança para desenvolver a adequada influência entre os homens e as mulheres e constituir uma cidadania melhor e mais estável. Esse sentimento foi fortalecido pelo fato de os maus elementos que antes consideravam Tulsa um mercado conveniente para fazer seus negócios estarem desaparecendo rapidamente, enquanto seus lugares são ocupados por famílias negras estáveis, vindas principalmente do Texas.

Felizmente, há muitos brancos que também veem a situação dos negros com inteligência e solidariedade. Não apenas estão imbuídos desse sentimento, mas também estão tomados pelo desejo de melhorar a condição de todos os habitantes de Tulsa. Poderiam ser mencionados aqui os nomes de vários sacerdotes, empresários, advogados, associações de mulheres, entre outros — todos proeminentes e intensamente interessados em melhores condições para os negros.

Agora parece que a Urban League vai se estabelecer em Tulsa daqui a pouco tempo e esses líderes, negros e brancos, trabalhando juntos, devem proporcionar aos negros algumas instalações recreativas; devem cuidar de suas oportunidades industriais de modo mais inteligente; devem fazer com que os prédios escolares agora pouco usados ofereçam aulas noturnas para meninas e mulheres trabalhadoras e para os homens trabalhadores dos ramos industriais ou domésticos; devem fazer a igreja democratizar seu programa e insistir em uma melhor preparação dos sacerdotes negros; devem remover os líderes políticos negros ignorantes que são vítimas de indivíduos brancos abomináveis, ambos inimigos da boa cidadania; devem ver essa justiça atender, em todos os aspectos, à totalidade dos cidadãos, independentemente da cor. Em suma, tal movimento deve prosperar em nome da governança cristã a fim de ajudar essas pessoas de notável esperança, em face da adversidade, a se tornarem cidadãos em todos os sentidos da palavra e a compartilhar igualmente com outros grupos raciais todas as alegrias e também as tristezas da cidade, elevando, assim, toda a vida comunitária de Tulsa.

Madame Geo. W. Hunt, proprietária do Salão de Beleza Creole, é originária da Louisiana. Ela veio de Beaumont, no Texas, em 1911, para Tulsa, onde foi gerente de um escritório da Vanderhoof Co., de South Bend, Indiana. Hunt pediu demissão de seu cargo com grande honra e muito pesar por parte da empresa e de seus vários clientes.

Madame Hunt é uma mulher de negócios muito bem-sucedida, produtiva e vivaz. Seu caráter cortês e amigável fez dela um sucesso total. É a única cabeleireira de cor desta cidade que usa água destilada na lavagem de cabelos. Deve ser mencionado que ela é de primeira e capaz de atender tanto a clientes brancas quanto a clientes de cor.

Essa senhora progressista é viúva e tem uma filha, Thelma, que mora em Los Angeles, Califórnia. Thelma vai se formar no colegial no ano que vem com a tenra idade de quinze anos.

Madame Hunt possui um belo terreno em Gary, Indiana, e quatro em Nova Jersey, dos quais tem títulos de propriedade. Durante o desastre, ela foi uma das poucas pessoas de sorte que não sofreram queimaduras. Foi bem assistida o tempo todo por seus muitos amigos brancos de sua igreja, que é a Igreja Católica da Sagrada Família.

Mulheres como madame Hunt são realmente um aval para a cidade em que vivem.

Ao escreverem para madame Geo. W. Hunt, enviem toda correspondência para Tulsa, Oklahoma.

Lista parcial das perdas sofridas pelas vítimas dos distúrbios de Tulsa

PARTIAL LIST OF LOSSES

Sustained by Victims of the Tulsa Riots

PROPERTY OWNERS	LOSSES
Mr. Jim Cherry	$ 50,000
Mr. O. Gurley	65,000
J. H. Goodwin	30,000
Mr. John Gist	25,000
Dr. R. T. Bridgewater	32,000
Mrs. Lula T. Williams	85,000
Mrs. Annie Partee	35,000
Mrs. Jennie Wilson	25,000
Mr. A. Brown	15,000
Mr. J. B. Stradford	125,000
Mr. A. L. Phillips	40,000
Mr. W. H. Smith (Welcome Grocery)	40,000
Elliott & Hooker, Clothiers and Dry Goods	45,000
Dr. A. F. Bryant	30,000
Mr. C. W. Henry	25,000
Jackson Undertaking Co.	15,000
Mr. T. R. Gentry	25,000
Prof. J. W. Hughes	15,000
Mr. S. M. Jackson	15,000

NORTH GREENWOOD STREET.

RESIDENCE	SIZE	BUSINESS	VALUE
2-Story Brick			$ 15,000
101—Woods'	70x80	Earl Real Estate Co.	
103		Bayers & Anderson, Tailors.	
103½		R. T. Bridgwater, Physician.	
103½		T. R. Gentry, Real Estate.	
102½		Wesley Jones, Physician	
103½		James M. Key, Physician.	
103½		Mrs. Mary E. J. Parrish, School.	
103½		Two Apartments.	
103½		Oklahoma Sun Office, Theo. Baughman.	
WILLIAMS' BLDG.	25x35		$ 12,500
3-Story Brick.			
102		Dr. J. J. McKeever.	
102		Mrs. Lulu Williams, Confectionery.	
102—Second Floor		Apartments.	
102—Third Floor		Offices.	
MRS. E. G. HOWARD'S BLDG.	25x80		$ 8,000
2-Story Brick.			
107		Barber Shop.	
107½		Safety First Loan Co.	
107½		Mrs. Sarah Whitaker, Rooms.	
BRYANT BLDG.	50x90		$ 15,000
2-Story Brick.			
108		Bryant's Drug Store, Dr. A. F. Bryant.	
108½		Rooming House.	
110		C. L. Netherland, Barber Shop.	
PHILLIPS	25x80		$ 15,000
2-Story Brick.			
111		Hardy & Hardy, Restaurant.	
111½		Hardy & Hardy, Rooms.	
GURLEY BLDG.	50x140	80 Rooms	$ 55,000
2-Story Brick.			
112		Brunswick Billiard Parlor.	
112½		Gurley Hotel.	
114		Dock Eastman & Hughes, Cafe.	
PHILIP'S BLDG.	50x80		$ 12,500
2-Story Brick.			
115		Carter's Barber Shop.	
115½		E. A. Hardy, Furnished Rooms.	

117 ... Gentry, Neely & Vadel, Billiards.
117 ... Oquawka Cigar Store.

GURLEY BLDG. O. W. Gurley.
...25x60... $ 10,000
2-Story Brick.
119 ... A. S. Newkirk, Photographer.
119½ ... S. G. Smith, Insurance.
119½ ... Bashears & Franklin, Attorneys and Oil Deal.
119½ ... Smith's Apartment.

DIXIE BLDG. Redfern 50x130... $ 50,000
1-Story Brick.
120 ... Dixie Theater.
120½ ... Samuel Stokenberry, Shoe Shiner.
120 ... J. R. Bell.

GIST BLDG. Gist...25x80... $ 12,500
2-Story Brick.
121 ... T. P. Gist, Barber
121 ... Nails Brothers, Shoe Repair Shop.
121½ ... Gist Rooms.

SMITH BLDG. ...50x120... $ 30,000
2-Story Brick.
122 ... Welcome Grocery.
122½ ... Smith's Apartment.
122½ ... Dr. Wells.
122½ ... Dr. Robinson.
122½ ... Dr. P. Travis.
122½ ... Dr. Smitherman.
122½ ... Attorney E. I. Sadler.
122½ ... Y. M. C. A. Rooms.
124 ... Elliott & Hooker, Clothing and Dry Goods.

GOODWIN BLDG. ...25x80... $ 7,000
2-Story Brick.
123 ... Union Grocery, Duncan & Clinton.
123½ ... Rooms.

WILLIAMS' BLDG.,
No. 2 ...25x140... $ 30,000
2-Story Brick.
129-133 ... Dreamland Theater.
129½ ... A. J. Whitley, Physician.
129¼ ... Alexander Hotel.

MRS. TITUS BLDG...20x30... $ 1,500
1-Story Brick.
127 ... Little Pullman Cafe.

MRS. PARTEE BLDG. ..
(2) ...15x40...
1-Story Frame.
201 ... Cain's Cafe ... $ 1,500
203 ... Dr. R. T. Motley, Office.

HILL'S BLDG ...25x70... $ 8,000
2-Story Brick.
126 ... Star Printing Co., A. J. Smitherman.
126½ ... Morgan Rooms.

REDWING BLDG. ...25x100... $ 30,000
2-Story Stone.
202 ... Wm. Kyle, Druggist.
204 ... Red Wing Cafe, J. L. White.
206 ... Abbie Funche, Tailor.
206½ ... Red Wing Hotel, Mrs. J. T. Pressley.
208 ... Barber Shop, Abner & Hutton, Prop.

STRADFORD BLDG...50x140... $ 50,000
2-Story Brick.
301 Stradford Hotel... ... Stradford Hotel.
301 "A" ... A. L. Ferguson, Drugs.

CLEANER & CHERRY
BLDG. ...25x80... $ 8,000
2-Story Brick.
501 ... Anderson & Person, Groceries.
501½ ... Knights of Pythias.
501½ ... Odd Fellows Hall.

FRANKFORT AVENUE, NORTH.

BUILDING	SIZE	BUSINESS	VALUE
BURNETT'S BLDG.	40x80		$ 6,000
1½-Story Brick.			
302		T. J. Wiseman, People's Tailoring Co.	
BAKER'S BLDG.	40x80		$ 4,500
2-Story Brick.			
304		W. A Baker, Grocery.	
304½		Apartment.	
MRS. MEEKS' BLDG.	25x40		$ 750
1-Story Frame.			
502		W. M Curry, Grocery.	
(3) 1-Story Stones	25x100		$ 5,000
525		Johnson's Plumbing Office.	
527		Bell & Little Cafe.	
529		Cold Drinks and Cream Parlor.	
1-Story Frame	15x30		$ 350

CAMERON, EAST.

BUILDING	SIZE	BUSINESS	VALUE
		Blacksmith's Shop.	
		Loup's Plumbing Office.	
STRADFORD BLDG. Facing Cameron St. Included in Hotel Bldg.			
		Waffle House.	

ARCHER, EAST.

BUILDING	SIZE	BUSINESS	VALUE
1-Story Brick		B. A. Wayne, Physician.	
1-Story Frame			$ 2,500
206		Rolly Huff, Confectionery.	
1-Story Brick	18x30		$ 1,200
210		A. J. Douglas, Barber Shop.	
1-Story, 4-Room Stucco.			
216		B. F. Smith, Physician.	
1-Story Frame.			
303		H. A. Guess, Attorney	$ 750
305		Rev. W. H. Twine, Real Estate	750
307		Charles Allen, Tailor	750
1-Story Frame.			
301		Friedman Bros., Grocery	$ 800
1-Story Frame			
314½		R. J. Clark, Tailor	$ 500
316		J. L Locard, Restaurant	800
316½		Wm. Bunns, Shoe Shine Parlor.	250
1-Story Frame.			
318		Ray Smith, Barber Shop	$ 800
1-Story Frame			
328		Woodard & Tillman, Confectionery	$ 400
328		Grace & Warren, Restaurant	300
402 G.		G. W. Hutchins, Attorney.	
416½		L W. Williams, Restaurant	$ 1,200
418		S. L. Neal, Tailor	1,200
2-Story Frame.			
420		Midway Hotel	$ 4,000
421		Grace Johnson, Restaurant	800
1-Story Frame.			
429		Public Library	$ 750
2-Story Frame.			
501		Mrs. Grace Johnson, Rooms	$ 2,500
2-Story Frame.			
505		D. R. Roland, Rooms	$ 5,000
1-Story Stone.			
514		Steam Laundry, Mrs Pastel	$ 3,500
MRS. PARTEE'S BLDG.	25x40		
1-Story Brick.			
516		J. L. Grier, Shoemaker	$ 2,500
516		Mrs. Lula Lacy, Restaurant	800
516½		Rooms	1,000

608 .... W. D. Keley, Lunch Counter 400
MRS. DORA WELLS' BLDG.
1-Story Frame.
613 .... Mrs Dora Wells, Garment Factory .... $ 2,500
2-Story Stone ...... 50x120 ....
614 .... East End Garage, Mr. Williams .. 8,500
2-Story Frame.
617 .... R. R. Robinson, Physician 1,500
2-Story Frame.
619 .... Louiza White, Fun. Rooms 4,000
MYERS BLDG.
2-Story Brick.
622 .... Jackson Und. Co, S. M. Jackson. $40,000
622½ .... Mrs. N. O. Smith, Beauty Parlor.
622½ .... Dr. L. N. Neal, Chiropractor.
622½ .... Beauty Parlor.

CINCINNATI STREET, NORTH.

RESIDENCE	SIZE	BUSINESS	VALUE
1-Story Frame.			
6		T. D. Jackson, Barber	$ 700
8		Caver French Dry Cleaners	700
10		T. B. Carter, Billiards	800
12		Mrs. Bertha Brown, Restaurant	$ 800
14		F. E. Dickson, Tailor	1,200
16		Cornelius Hunter, Restaurant	
18		J. W. York, Meats (White)	850
2-Story Brick.	25x80		$ 8,000
23		P. S. Thompson, Physician, Drugs.	
23½		Hazel Homan, Rooms.	

NORTH ELGIN.

BUILDING	SIZE	BUSINESS	VALUE
1-Story Stone.			
18		T. L. Moseley, Shoemaker	$ 550
22		Rev. J. H. Hooker, Photographer.	550
F. R. WILLIAMS' BLDG.	25x80		$10,000
2-Story Brick.			
122		Williams' Confectionery.	
122 "A"		F. R. Williams, Real Estate.	
122 "A"		Apartment	
1-Story Frame		Leon Williams, Confectionery	$ 2,500
1-Story, 4-room Frame.			
310		Mrs. G. W. Hunt, Beauty Parlor.	
1-Story, 4-room Frame.			
501		Jewel Fuhiman, Grocery (White)	$ 2,000
520 10-Room, 2-Story Frame with Store Bldg. in connection.			
MRS LENA CHARLSTON.		Mrs L. Charleston, Grocery	$ 5,000

DETROIT STREET.

RESIDENCE	NO. ROOMS	PROPRIETOR	VALUE
Rev. Augustus Hicks.		Rev. A. Hicks.	
2-Story Frame			$ 3,000
401		Mr. Armstead Bankhead.	
503—2-Story Frame—Basement		Mrs. M. A. Wright	
507—1-Story Frame—Basement		R. T Bridgwater, Physician.	
511—1-Story Frame—Basement		T. R. Bridgwater, Physician (Occupied by A. J. Smithermon)	$ 2,500
515—1-Story Frame—Basement		Dr. J. J. McKeever	4,500
521—1-Story Frame—Basement		Rev W. H. Woods	5,000
523—1-Story Frame—Basement		A. C. Andrew	3,000
529—1-Story Frame—Basement		H. M. Magill	4,500
531—1-Story Frame—Basement		E. W Woods	3,000
537—1-Story Frame—Basement		T. R. Gentry	5,000
541—1-Story Frame—Basement		C. D. Brown	3,500
625—1-Story Frame—Basement		J W. Hughes	7,000

527—1-Story Frame—Basement ....Singer ....

533—1-Story Frame—Basement ....Stovall 6,000

NORTH ELGIN STREET.

RESIDENCE	NO. ROOMS	PROPRIETOR	VALUE
STRADFORD BLDG. No. 2.			
2-Story Brick.		Mr. Stradford	$ 3,000
502—1-Story Frame (Double)		Dr. R. T. Bridgwater	2,000
505—1-Story Frame		Mr. Nelson Smith	1,500
506—1-Story Frame		Mrs Oliva Fasset	1,500
507—		Stradford	800
508—			
509—			
510—1-Story Frame		Thomas Nelson	800
511—		P. W. Rose	1,800
513—		Mrs. Glen Stone	
516—1-Story Frame		C. W. Henry (G. W. Bell)	3,000
516 "A"—2-Story Frame		C. W. Henry	2,500
518—2-Story Frame		C W. Henry (Wm. Grace)	800
520—2-Story Frame		Mrs. Lena Charleston	3,000
521—1-Story Frame		Mrs. Mattie Buchanan	500
522—1-Story Frame		(Nilon Randall) Mrs. Partee	7,000
523—1-Story		Hoser Vaden	1,000
524—1-Story		(James Napier)	800
525—2-Story Frame		John McClelland	1,000
522—rear—2-Story Stone		Mrs. Partee	
527—2-Story Frame		Libbie Jackson	2,000
529—1-Story Frame—basement—6 rms. and bath		Dr. P. Travis	4,500
535—I. A. Bell		Mrs. Lynch	3,500
536—W. N. Smart—2-Story Frame		W. N. Smart	4,000
540—Ira Ellis			2,000
542—C. L. Netherland—2-Story Brick	10 rooms	C. L. Netherland	5,000
544—Dr. C B. Wickham, 1-Story Frame			3,000
609—Hannah Carter			800
613—W. A Miller			800
903—Wm. Clark			
909—Calvin Johnson		Calvin Johnson	900
911—Mrs. Eliza Martin			

EASTOR STREET, EAST

RESIDENCE	NO ROOMS	PROPRIETOR	VALUE
315—J. L. Easley		R. T. Bridgewater	$ 3,000
317—A A. Floyd		R. T Bridgewater	3 000
407—John Clark			1,000
408—A. E. Tyous		J. B. Stradford	300
409—Jefferson Johnson			1,000
410—Osborn Mourol			1,000
412—E. Johnson			1,250
415—L. Vauns			1,000
417—Mrs. Sarah Richardson			1,000
419—Mrs. Amanda Thomas			1,200
420—L. W. Thompson—2-story Frame		L. W. Thompson	5,000
422—C. F. Gabe			1,500
424—Alice Dunlap			1,200
501—H T. Wilson, Real Estate			2,000
502—Jimmie Lee			600
503—George Kelley			600
504—Mrs. Raxina Townsend			500
505—Robert Carter			500
507—Mrs. Minnie Johnson			2,000
508—W. B. Rankins			1,200
509—W. M. Lewis			1,000
511—J L. Brown			1,000
513—Curley Dansy			650
515—John Haynes			700
517—Ealy Anderson			250
606—Emma Clay			1,400
608—Mrs. Callie Rogers			300
610—Mrs. Silvia Roberts			1,000

Residence	Value
611—Rev. H. T. S. Johnson	900
619—C. L. Livingston	900
620—Mrs. Ruby Thaw	
621—L. J. Littles	
709—Oscar McDonald	1,000
712—Mrs. Elizabeth Holmes	750
713—Ruby Thaw	400
715—Lula Jackson	400
717—Mrs. Hybuna Williams	400
723—W. D. Wilburn	500
735—Austin McLane, no such number	
811—James Jackson	800
901—Mrs. Mary Jackson	1,000

EXETER PLACE

RESIDENCE	NO. ROOMS	PROPRIETOR	VALUE
217—W. H. Sphier			1,000
218—John Frazier			1,000
220—Mrs. Henryetta T. Gentry			1,000
222—Mrs. Agnes Johnson			850
224—Mrs Fannie Right		J. H Goodwin	550
301—			
303—J. O. Foushee		Earl Sneed	3,500
305—A. L. Warren		Mrs. Warren	2,000
307—James Hardeman		Mrs. Warren	2,000
308—Lester Drake			1,500
309—N. W Hodge		Mrs. Warren	2,000
310—Joseph Cason		Virgil Rowe	1,500
311—J. R. Garrett		Virgil Rowe	1,500
313—Mary Casey			
315—E. B. Duncan		Duncan	2,500
317—Buster Mayhue		Virgil Rowe	4,000
319—Cinda Lee		Jno. Swinger	5,000
321—Thomas Lunsford			4,000
401—M F. Howard			600
403—A. M. Tucker			600
404—W. Friend			1,800
405—R. M. Anderson			1,000
407—Charles Colum			850
409—George Hunt			800
411—Henry Kimble			850
413—W L. Jones			
415—N. E. Butler			
423—Charles Driver (Restaurant)		Charles Driver	350
427—Richard Thomas			1,000
510—Mrs. A. Cox, Residence and Grocery		Mr. and Mrs B. L. Cox	2,000
512—Arthur Scott			800
514—James Yates			1,500
515—			2,000
516—Abe Yates			
517—J. H. Hodnett, 1-story frame, 6 rms.		Mrs Emma Works	2,000
519—Mrs. Emma Works, 1-story frame, 6 rms.		Mrs. Emma Works	2,500
520—Edward Jones			800
522—C. M. Mathews			1,200
531—J H. Smith			4,500
535—M. C. Allen			1,000
537—C. H. Perkins, 1-story frame, 3 rms.		C. H. Perkins	1,000

BRADY EAST.

RESIDENCE	NO. ROOMS	PROPRIETOR	VALUE
308—Wm Jones			1,500
310—Garfield Dixon			800
311—Emma Dixon			1,200
316—N. S. Jones			5,000
318—Mrs. Margaret Davis			3,000
404—Leon Homer			600
412—J. J. Jones			750
502—Benjamin Blythe—House moved			
510—Albert Vernon—House moved			
515—John Williams			1,200

DAVENPORT EAST.

RESIDENCE	NO. ROOMS	PROPRIETOR	VALUE
416—Dr. B. A. Wayne, 1-story frame, 6 rms		Dr. B. A. Wayne	3,000

HASKELL EAST.

RESIDENCE	NO. ROOMS	PROPRIETOR	VALUE
401—J. H. Goodwin, 2 story frame, 9 rms		J. H. Goodwin	4,000
407—1-Story Brick, 5 rooms		J. H. Goodwin	1,500
409—1-Story Brick, 6 rooms		J. H Goodwin	3,500
—2-Story Frame, 5 rooms		J. H. Goodwin	3,000
—Garage			500

FRANKFORT AVENUE NORTH.

RESIDENCE	NO. ROOMS	PROPRIETOR	VALUE
206—Hanery Van Dyke, 2-story brick		Brockman Bros.	$ 2,500
210—C. W Drummond, 5 rooms			1,750
212—J. R. Bell, 4 rooms			1,200
214—Francis Hood, 3 rooms			400
216—Thomas Johnson, 3 rooms			400
220—Rufus Allen, 5 rooms			1,200
221—Edward Richardson, 3 rooms			450
224—Edward Howard, 5 rooms			2,250
301—James Jefferson, 4 rooms			1,500
303—G. D. Aytch, 5 rooms			2,000
304—Samuel Perkins, 4 rooms			1,000
305—Hap Watson			5,000
309—Catherine Jackson			1,250
310—S E. Easley			3,000
311—Al Young		Bridgewater	
314—Floyd Gilkey			3,500
316—F. W. Waddell			1,200
317—Rev. A. W. Brown, 8 rooms		S. M Jackson	2,000
318—Alice Staples, 6 rooms		S. M Jackson	2,000
319—Elmer Williams			1,500
320—Theodore Baughman		Bridgewater	1,000
320½—D W. Devrow, 2 houses on lot		Stovall	3,500
321—Wright Jones		Bridgewater	1,000
322—Jessie C. Vann		Mrs. Watson	750
323—C. V. Nunley		Bridgewater	2,500
401—Toby Campbell			500
402—Hixie B. Blackman			750
403—Robert Robertson			1,500
403½ Victor Visher			1,250
404—A. W Tindall			1,250
405—L. T. Johnson			2,500
406—Willie Connor			1,000
407—John Hampton			1,000
408—Charles Berry		Mrs. Watson	1,000
409—W. H. Hicks			900
410—H J. Green			800
411—Emma Anderson			1,500
412—Swuare Nebles			1,200
415—Mrs. Mary Mitchell, 1-Story Frame		Mrs. Mary Mitchell	1,000
416—Mrs. Aurelia E. Watson			2,000
417—Amy Hawkins			1,500
504—Mrs. Mary Simms			1,000
505—Wm. Dysart			1,000
506—Olive Dupree			700
508—Mrs. Sophia Smith			700
511—Mrs. Bonnie Whipple			700
512—W. M. Henderson			1,500
513—Lon Jenkins			500
514—Mondy Lincoln			850
515—Mrs Emma Swinger			2,500
516—Mrs. Margaret McKeever			1,000
519—O. W. Hawkins			2,000
521—M. K. Randles			850
623—Mrs Ella (Watley) Meeks, 2-story frm		Mrs. Ella Meeks	2,500
634—Staley Webb, 1-story frame		Staley Webb	2,000

GREENWOOD AVENUE NORTH

RESIDENCE	NO. ROOMS	PROPRIETOR	VALUE
305—Dock Eastman			1,200
306—Alvin Graves			2,500
306—"A"—E. W. Vaden			2,500
307—Daniel Black			1,000
308—Rev. J. A Johnson, 2-story frame		Rev. J. A. Johnson	2,500
309—Harvey Hearst			1,200
310—J. E. Fields			1,500
311—Wm. Cherry			1,000
312—Joseph Saunders			1,500
314—Mack Bergman			1,000
315—Sallie Grayson			1,750
316—C B. Turner			1,750
317—G. L. Gasper			1,500
318—Anderson Parker			1,000
319—M. A. Byars			750
321—W. M Haward			1,000
400—W. M. Bruner			2,000
401—Frank Gaylord			950
402—W. J. Wood, Physician			1,250
403—E T. Waters			950
404—Steward Cooper (Laundry)			850
405—Wm. Clark			900
406—Mrs. Ida Berry			1,000
407—Wm. Young			1,000
408—Mrs. Minnie L. Sanders			1,000
408½—W. H. Cohn, Physician			250
409—Mrs. Fannie White			1,000
411—Mrs. Martha A. Newman			700
412—Henry Johnson			950
413—R. C. Carter			950
414—James King			1,000
415—Bud Thomas			1,750
417—Nathaniel Dorset			3,000
418—Mrs Samuel Mackley, 2-story frm.		Mrs. Samuel Mackley	5,000
421—Mrs. Equella Randle			1,000
502—Mrs. May Thompson			1,000
503—A. C. Jackson			500
504—Love Williams			750
505—A. W Williams			1,250
506—Mrs. Jannie Russell			1,000
507—Mrs. Carrie Barner			
508—Barney Cleaver, 2-story frame		Barney Cleaver	2,000
509—W. M. Luper			2,000
510—J B. Burton			2,000
511—Mrs. Camile Colbert			1,000
512—J. H. Golden			1,000
513—J. B. Beason			1,500
514—M C. Edwards			1,000
515—A. F. Bryant			2,000
516—Mrs. Josie Daniels			1,000
519—James Thomas			850
518—Julius Muckroy			850
520—Mary Ananda			850
604—Rev. J. R McClain			
702—James Cherry		James Cherry	4,000
716—A. L. Phillips, 1-story frame		A. L. Phillips	4,000

HARTFORD AVENUE NORTH.

RESIDENCE	NO. ROOMS	PROPRIETOR	VALUE
12—L. F. Guess			300
23—Nelson Talbert			300
101—Frank Taylor			1,000
104—Roy Littles			800
106—Henry Richmond			750
108—Jack Scott			1,200
110—W. P. Carter			3,000
111—John Andres			500

112—Eva Bolden	500
113—Moot Dallas	
115—Guss Mitchell	
116—Mrs. Emma O'Connor	
117—John Thomas	
118—Mrs. Emma Meacher	
120—Wm. Dodd	
121—J. L Anderson	
122—Mrs. Nina Dickson	2,500
124—Mrs. Emry Malone	1,750
301—D. E. Green	3,000
303—Mrs. Julia Haynes	1,000
304—Mrs. Sarah Burger	750
305—Mrs. Sarah Gaines	750
306—Hannibal Rankins	500
307—Odis Easlick	750
309—Orlando Williams	1,800
310—Jesse Edwards	500
311—Clifford Warren	1,000
312—Mrs. Retta Boon	750
313—George McAlister	750

SCHOOLS.

	VALUE
Dunbar Grade School	20,000

CHURCHES.

	VALUE
Methodist Episcopal	1,000
African Methodist Episcopal	2,500
Colored Methodist Episcopal	2,000
Mt. Zion Baptist	6,500
Paradise Baptist	35,000
Metropolitan Baptist	3,000
Union Baptist	2,000
Seventh Day Advent	1,500

HOSPITALS.

	VALUE
Frissell Memorial	3,500

Posfácio

Na primeira vez que a polícia me seguiu, eu era uma menina de quinze anos indo para a escola em uma manhã. Na maioria dos dias, eu usava uma blusa com gola e punhos de marinheiro, e uma saia azul plissada. Mas esse dia em especial era de "roupa livre", uma das raras oportunidades de se livrar da monotonia e da padronização de nossos uniformes, uma chance de ir à escola usando qualquer traje extravagante da década de 1970 que escolhêssemos para nos expressar. Caminhando pela Jackson Street no bairro de Pacific Heights, em San Francisco, na direção daquilo que era então o campus da Katherine Delmar Burke School for Girls — usando meu preferido e único par de sapatos de salto plataforma e meu cabelo afro de comprimento médio —, notei um carro preto e branco reduzir a velocidade quando o policial que o dirigia me viu.

Naquela idade eu já desconfiava da polícia. Tinha passado oito anos de minha infância em East Oakland, onde a violência policial contra pessoas de minha comunidade era excessiva, com helicópteros no céu noturno lançando fachos de luz sobre a vizinhança.

Assim, caminhando em San Francisco, os três quarteirões entre o ponto de ônibus e a escola pareceram intermináveis. A polícia não apenas me seguiu para ver aonde eu estava indo naquela ma-

nhã, mas dava a volta em cada quarteirão, fazendo a curva na Jackson Street a fim de me acompanhar durante todo o meu percurso. Queriam que eu soubesse que estavam ali. Seu objetivo era a intimidação. Eu estava sem fôlego quando cheguei à porta da escola, mas pronta para seguir com meu dia naquela escola exclusiva para as filhas das principais famílias de San Francisco.

Só fiquei sabendo do massacre de Tulsa em 1921 quando já era adulta — e li o livro que minha bisavó escreveu sobre isso. Meu pai, William Bruner Jr., que passou lá uma parte de sua infância, nunca mencionou para mim o massacre enquanto eu estava crescendo. Tínhamos um lar fraturado, com meus pais divorciados, e muito tempo e energia eram gastos navegando pela logística de passar alguns momentos juntos e administrar a dinâmica de uma família misturada. Eu não passava muito tempo sozinha com meu pai e passaram-se vários anos até que tivéssemos uma relação que nos permitisse falar abertamente e sem atritos sobre as coisas que importam profundamente.

Eu estava morando na cidade de Washington havia cerca de dez anos quando, no início da década de 1990, meu pai me deu o livro de presente durante uma de minhas visitas anuais à Califórnia. Ele estava muito silencioso quando tirou o livro de um velho envelope pardo, fazendo com que eu soubesse que o estava confiando a mim. Ele agiu como se estivesse compartilhando um segredo. Dedicado a meu pai por um membro da família Jones, o livrinho vermelho era fino e compacto. Fiquei intrigada com o comportamento dele, que me deu poucas explicações. Eu sabia que ele queria alguma coisa, mas não tinha certeza do que poderia ser exatamente. Eu tinha uns trinta e poucos anos, mas ele começou a me chamar de matriarca da família, um rótulo que me deixou desconfortável. O livro era mais uma oportunidade de saber mais sobre a família e meu lugar nela que nenhum de nós sabia como assumir.

De volta a minha casa em Washington, li o livro em uma só tacada e fui dominada pela raiva e tristeza pelo que a comunidade afro-americana de Tulsa havia sofrido e pelo plantio das sementes do trauma individual e familiar que mais tarde brotou na vida de pessoas que me eram queridas quando eu era criança — meu pai e seu irmão mais novo, meu tio Richard, e minha avó, Florence, que no livro aparece como a filha mais nova de Mary Jones Parrish.

Também descobri que Tulsa, embora imperfeita, era mais do que um lugar aonde as pessoas iam para ganhar dinheiro — era um espaço em que pessoas negras administravam sua comunidade com alguma autonomia e autoridade. Em 1921, era um elo de prosperidade, ambição e orgulho negros, repleta de pessoas independentes e instruídas como minha bisavó, Mary Jones Parrish, e veteranos da Primeira Guerra Mundial como meu bisavô, do outro lado da família, Richard Harrison Bruner. Não sei se ele estava em Tulsa na época do evento, mas os veteranos que se juntaram para evitar que Dick Rowland fosse linchado demonstraram o mesmo fervor para lutar em casa contra práticas antidemocráticas que haviam manifestado no estrangeiro.

A comunidade de Greenwood na década de 1920 era a aldeia lendária que abraçava e encorajava seus moradores, animada pela vitalidade e perseverança do povo que vivia dentro de seus limites. Greenwood era a entidade que lhes permitia ter o sonho de conquistar os direitos, recompensas e responsabilidades que acompanham a plena participação na vida cívica de sua comunidade e de seu país. Era um espaço para alcançarem a autodeterminação e a prosperidade que constituíam o ideal americano, mas também de cultivarem o mesmo espírito

de cooperação que impulsionou os afro-americanos durante a escravidão, o processo incompleto da Reconstrução* e as práticas raciais draconianas que se seguiram ao desmonte desse processo sob uma legislação como o Compromisso de 1877.**
Esse fracasso sabotou o progresso que deveria ter levado os afro-americanos e a nação à plenitude dos direitos civis.

Tal como outros americanos, os negros de Tulsa serviram a seu país durante a guerra, mas não podiam ter imaginado que aviões voariam sobre sua comunidade e atirariam e a bombardeariam como se fosse território inimigo.

Mais que qualquer outra coisa, o emprego de maquinário de guerra contra civis mostrou a disposição das autoridades de atacar negros americanos com a máxima letalidade. Houve pouca compreensão entre os representantes do estado e a turba cruel em seu ódio e propósito letal em relação ao povo negro. Vidas negras não importavam para os brancos ressentidos com os "negros arrogantes", nem para o governo local, que tentou apropriar-se da Wall Street Negra para satisfazer seu apetite por crescimento.

Os elementos que contribuíram para o desastre — a visão da igualdade dos negros como um anátema da ordem social natural, a cumplicidade oficial com a violência da turba e a imple-

* O termo "Reconstrução" refere-se ao período subsequente à Guerra de Secessão, entre 1865 e 1877, em que o governo central americano procurou recuperar e modernizar os estados do Sul, então ocupados por tropas federais, ao mesmo tempo que buscava integrar os negros à sociedade. Pouco a pouco, contudo, esses estados foram recuperando sua autonomia e impondo restrições à liberdade dos negros, num processo em que, segundo historiadores como Anthony Marx, estes foram oferecidos em holocausto aos racistas brancos a fim de que se evitasse uma nova secessão. (N.T.)

** O chamado Compromisso de 1877 foi um acordo informal firmado entre os senadores e deputados federais norte-americanos em virtude da disputadíssima eleição presidencial de 1876, que resultou na retirada das tropas federais dos estados do Sul, pondo fim à era da Reconstrução. (N.T.)

mentação de uma política de guerra a serviço de interesses financeiros — ainda estimulam o cenário atual habitado por nós. Aqui havia uma comunidade próspera em que pessoas viviam acima das expectativas da sociedade mais ampla. Apesar disso, elas foram atacadas e tiveram sua vida abalada sob um pretexto inventado por uma violenta turba sedenta por destruir ou tomar à força os resultados do sucesso de uma comunidade. Lares foram saqueados e incendiados, e pessoas brancas riram deliberadamente dos infortúnios recém-provocados. Profissionais e trabalhadores foram igualmente destituídos e privados de seus recursos, pois tudo aquilo por que tinham trabalhado lhes foi tomado. Homens de bem tiveram de fugir sem ao menos um chapéu na cabeça.

Sabemos que a polícia de Tulsa designou homens brancos para controlar, e até destruir, as vidas e os meios de subsistência dos negros, enquanto a comunidade se defendia dos linchamentos e do roubo e da destruição de suas propriedades. A facilidade com que foi tomada essa decisão pode ser reconhecida atualmente na criminalização banal de americanos negros. Atividades aleatórias podem transformar-se em um confronto mortal com a imposição da lei. A liberdade prometida a todos os americanos é condicional para os negros americanos, conduzida por avaliações arbitrárias sobre eles serem inteligentes o bastante, produtivos o bastante, humildes o bastante, inofensivos o bastante, inocentes o bastante, patrióticos o bastante e assim por diante.

Mas em uma sociedade esclarecida as pessoas que são livres não precisam provar que são merecedoras. Fundamentalmente, nenhum ser humano tem autoridade para certificar a humanidade ou o valor do outro. Essa qualidade deriva diretamente de nossa existência, e qualquer sistema que adote essa autoridade simplesmente não é digno de crédito. Apesar disso, o medo provocado pelo abuso de autoridade no nível institucional pode forçar as pessoas negras a tentar provar que são respeitáveis e dignos o bastante, perdendo seu tempo no injustificável e impossível jogo da busca de aprovação em um sistema que não deixou de abusar deles enquanto sustenta o poderoso mito da justiça. Paradoxalmente, ao internalizarem a avaliação imposta por um sistema distorcido, aqueles que estão sendo julgados frequentemente reforçam a perniciosa ficção de que um grupo está autorizado a definir a humanidade de outro.

A história americana fornece exemplos abundantes de pessoas de outro grupo reservando a si mesmas a responsabilidade de definir ou proibir a vida e a humanidade dos negros e, de acordo com isso, abusar deles. No início de 2021, uma turba de brancos atacou violentamente o prédio do Capitólio em um esforço para anular a certificação dos votos do presidente legitimamente eleito dos Estados Unidos — depois de um número recorde de afro-americanos ter exercido seu poder político. Ficou claro que alguns americanos preferem um Estado autoritário a uma democracia em que todas as pessoas tenham direitos iguais de proteção, consideração e amparo.

A reconstrução que se seguiu à tragédia de Greenwood foi notável e depõe a favor do desempenho e da resiliência dessa comunidade ferida ao unir-se rapidamente em torno do objetivo comum de proporcionar apoio imediato, tanto por necessidades práticas quanto para obter uma compensação jurídica. A comunidade sabia como aproveitar seus próprios recursos e conseguir ajuda das redes nacionais de organizações cívicas negras. Os afro-americanos evidentemente não aceitavam as circunstâncias sociais que os prejudicavam, mas foram pragmáticos no enfrentamento e na abordagem da situação tal como era. E eles sem dúvida perceberam que começar de novo em outro lugar não iria resolver a perversa animosidade racial generalizada que motivava os brancos a atacá-los.

Mas as armadilhas externas de revitalização não deveriam encobrir o custo humano desse levante de tão ampla escala. Os sobreviventes vivenciaram um ataque de guerra com métodos aperfeiçoados no exterior e depois usados contra americanos, capazes, como agora sabemos, de causar estresse pós-traumático e síndrome do sobrevivente com efeitos adversos que podem perdurar indefinidamente. Com a vida em risco — pois ninguém podia ter certeza de que algo semelhante ou pior não aconteceria de novo a qualquer momento —, alguns permaneceram, mas outros decidiram deixar para trás tudo o que conheciam em busca de um novo começo em outro lugar.

A disrupção é um lema hoje, mas suas grotescas implicações para a vida em Tulsa cem anos atrás criaram um grande número de pessoas internamente deslocadas que construíram uma nova vida em outras partes do país sem o benefício da compaixão ou ajuda para se reassentarem, como ainda ocorre por todo o planeta. As consequências podem ser sentidas em famílias como a minha. Nossos laços com a história familiar foram rompidos à medida que as memórias foram sendo suprimidas pelos costumes, pelo tempo e pela distância, e perdemos parte do contexto que poderia ter nos ajudado a entender onde estávamos e um pouco da dor que sentíamos.

Em janeiro, após a tentativa de golpe de Estado no Capitólio, publiquei uma matéria na revista *Lily* sobre a experiência de minha família ao sobreviver ao massacre racial. Um amigo que leu esse texto disse que chorou ao saber que era sobre Tulsa. Seus bisavós passaram pela mesma situação pela qual minha bisavó e minha avó tinham passado. Eram uma sólida família de classe média, mas o massacre literalmente os expulsou de Tulsa. Migraram para Detroit, onde a avó de meu amigo havia nascido, e desde então a família tem lutado. Meu amigo dava duro e agora é a personificação de uma história de sucesso americana. Contudo, isso não apaga nem representa um lado positivo daquilo que sua família enfrentou. O sofrimento pelo qual passaram gerações da família dele em razão do trauma de serem odiadas por seu próprio governo e por seus concidadãos continua sendo um fardo.

Eu vivi os distúrbios da década de 1960 em Oakland, onde a comunidade tinha uma relação reativa com as forças policiais; graves e confiáveis acusações de práticas policiais extremas e brutais mantinham as tensões em um nível elevado. Quando li pela primeira vez sobre os eventos de Tulsa, eu me lembrei daqueles tempos. Os distúrbios foram uma reação à injustiça sistêmica e não à injustiça em si mesma, como foi o caso em Tulsa, mas eu imaginei que a reação humana fosse a mesma: medo e incerteza. Em Tulsa, as casas das pessoas foram saqueadas e incendiadas. Em Oakland, a avenida 73 precisou ser ampliada a fim de que os fãs dos Athletics e dos Raiders pudessem utilizá-la para irem diretamente da Interestadual 580 para o Oakland Coliseum, passando pelo centro de East Oakland. As casas de nossos vizinhos foram carregadas em caminhões de carga e levadas embora como brinquedos de criança para não se sabe onde. Em Tulsa, aviões metralharam e bombardearam a área. Em Oakland, helicópteros zuniam à noite, perturbando nossa paz. Para deixar claro, havia mais do que isso na rotina diária de nossa humilde, porém amada, vizinhança, mas a violência policial e o implacável desenvolvimento urbano eram constantes desde os tempos de Tulsa — e antes deles. Nós entendíamos o mundo que habitávamos.

E Mary Jones Parrish entendia o mundo que habitava. Eu ficava imaginando o que poderia fazer com as histórias das vidas que foram vividas, perdidas ou redimidas naquele momento crucial — cuidadosamente registrado no livro de minha bisavó — para conscientizar as pessoas sobre essa tragédia e a enorme injustiça que foi a impunidade de seus perpetradores. A crise em Tulsa foi parte de um padrão identificável que se repetiu naquela época, acentuando um compromisso entranhado com um sistema brutal, desumanizante, que orientava os ataques da sociedade contra seus membros afro-americanos.

Assim, quando ocorreu a insurreição do Capitólio, eu reconheci aquilo que estava vendo. Era o ápice de quatro anos de um governo que me horrorizou desde o início por sua promessa de crueldade. Mas a pior parte foi o senso de normalidade que nos foi imposto por líderes que, de forma deliberada e determinada, se recusaram a reconhecer o perigo da pior crise sanitária em gerações e subestimaram a legitimidade da indignação e dos protestos diante do assassinato de George Floyd em Minneapolis por um policial fardado. Em vez disso, essas duas circunstâncias definidoras de 2020 foram transformadas em armas para promover uma agenda regressiva, racista, em razão da qual o público foi bombardeado com mensagens que contrariavam a realidade objetiva e as normas morais. O presidente dos Estados Unidos minimizou a letalidade de uma pandemia de um tipo que não afetava a humanidade desde 1918, quando ele sabia da disseminação da doença e das mortes que dela resultariam. Enquanto o país estava em choque devido à Covid-19, os protestos públicos em massa em reação ao assassinato de Floyd foram descaracterizados como uma evidência de que o Black Lives Matter era um movimento antigoverno comprometido com a anarquia.

Quando um novo presidente foi eleito e o país abandonou o rumo perigoso que estava tomando, o mundo assistiu a uma última tentativa desesperada de uma camarilha obscurantista, intolerante, juntamente com sua turba reacionária. Consciente do contexto global e das implicações dos eventos de sua época, Mary Jones Parrish havia previsto: "Se o Rei Turba continuar governando, será apenas uma questão de tempo até testemunharmos alguns episódios da Rússia encenados bem aqui em nossas praias". Para ela, o cenário político nacional tinha implicações internacionais. Americanos e estrangeiros expressavam o desejo comum de autodeterminação, de serem livres para trabalhar e viver em paz, e também contribuir para a sociedade e para o mundo.

Como outras pessoas além do tempo, além do globo, além dos gêneros e além dos povos, Mary Jones Parrish era uma mulher plenamente realizada, consciente do mundo e de seu lugar nele. Ela estava confortável na própria pele e tinha confiança em suas habilidades. Ela e outras mulheres como ela eram exemplares: vulneráveis, mas não impotentes, empoderadas, mas não sobre-humanas. Então por que a história tem tão pouco a dizer sobre ela? Por que mais pessoas não sabem de sua contribuição no que se refere a interpretar e preservar a memória desse evento crucial na história americana? Porque são os poderosos que moldam a narrativa histórica.

Mary Jones Parrish sobreviveu ao massacre racial de Tulsa em 1921, mas seu legado praticamente não resistiu ao apagamento. A tragédia teria sido todos nós sermos privados da voz da pessoa que contou as histórias que importavam, as histórias do cotidiano dos afro-americanos com famílias, sonhos, ambições e problemas normais e pessoas que buscavam levar uma vida normal em uma grande cidade americana. Expressões racistas que patologizam o comportamento dos negros buscam absolver posturas e ações da sociedade, distorcendo o prisma da vida negra, deturpando a realidade com sua capacidade de definir o que é verdade. O progresso obtido por afro-americanos nos anos posteriores à escravidão deveria ser celebrado por nosso país e por nossos compatriotas. Em vez disso, o progresso foi punido.

Nesta era atual marcada por ineditismos históricos de afro-americanos, devemos nos lembrar de que se isso não ocorreu antes não foi porque os negros não estavam preparados — o país é que não estava preparado.

Quando minha filha era bebê, estávamos na Califórnia passando um tempo com minha mãe, que por acaso estava namorando um cara branco. Ele estava dirigindo, e minha mãe estava no banco do passageiro. Minha filha, Portia, estava no banco traseiro, em sua cadeirinha, balbuciando alegremente, e eu ao lado dela. Estávamos na interestadual 280, indo de San Francisco para a Península. A saída para a Sneath Lane aparecia e desaparecia, e eu casualmente mencionei que meu avô morrera na Segunda Guerra Mundial na Birmânia e fora enterrado exatamente ao pé do morro no Golden Gate National Cemetery. O namorado de minha mãe retrucou: "Isso é impossível".*

O sargento Bruner, que fez o maior sacrifício por este país, foi marido de Florence Parrish Bruner e genro de Mary Jones Parrish. Meu pai tinha oito anos de idade quando ele morreu, e meu tio Richard, cinco. A família nunca se recuperou.

Continuei olhando pela janela do carro, recusando-me a enaltecer esse pronunciamento com uma resposta. Eu não tinha que provar coisa alguma.

ANNELIESE M. BRUNER

* Trilha para ciclistas e caminhantes, entre morros e desfiladeiros. (N.T.)

Créditos das imagens

p. 10 Nuvem de fumaça sobre Greenwood após os distúrbios de 1921. Registro extraído da edição original.

pp. 22 e 23 A destruição do distrito de Greenwood, Tulsa, junho de 1921. Registro extraído da edição original.

p. 26 Depois dos distúrbios, 1º de junho de 1921. Registro extraído da edição original.

p. 30 Igreja Batista Mount Zion depois dos distúrbios. Registro extraído da edição original.

pp. 123-31 Lista parcial de perdas sofridas pelas vítimas. Registro extraído da edição original.

Sobre os colaboradores

ANNELIESE M. BRUNER, bisneta de Mary E. Jones Parrish, é uma escritora e editora que tem trabalhado no mundo empresarial, na mídia e em organizações sem fins lucrativos. Seus textos têm sido publicados em periódicos como *Honey Magazine*, *Savoy Magazine*, *USAID FrontLines* e *The Lily (Washington Post)*. Nasceu e cresceu em San Francisco, com passagens por Oakland, e morou na cidade de Washington por mais de 35 anos.

SCOTT ELLSWORTH é professor de Estudos Africanos e Afro-Americanos na Universidade de Michigan, e autor de *Death in a Promised Land: The Tulsa Race Riot of 1921* [Morte na terra prometida: os distúrbios de Tulsa em 1921], a primeira história detalhada sobre o terrível massacre de 1921. Ellsworth está ajudando a conduzir o esforço contínuo de descobrir os túmulos não identificados das vítimas do massacre.

JOHN HOPE FRANKLIN (1915-2009) lecionou em uma série de instituições, incluindo as universidades Duke e Howard, e também a de Chicago. Seu excelente estudo sobre a experiência afro-americana, *From Slavery to Freedom: A History of African Americans* [Da escravidão à liberdade: uma história dos afro-americanos], continua sendo um dos livros mais consultados na área. Franklin recebeu a Medalha Presidencial da Liberdade em 1995.

A marca FSC® é a garantia de que a madeira utilizada na fabricação do papel deste livro provém de florestas gerenciadas de maneira ambientalmente correta, socialmente justa e economicamente viável e de outras fontes de origem controlada.

EDITORA Juliana de A. Rodrigues
EDIÇÃO Cristiane Alves Avelar
PREPARAÇÃO Tamires von Atzingen
REVISÃO Luicy Caetano e Tácia Soares
DIREÇÃO DE ARTE Julia Monteiro
CAPA Luciana Facchini
IMAGEM DE CAPA Museu Nacional de História e Cultura Afro-Americanas do Instituto Smithsonian, Cortesia de Princetta R. Newman
TRATAMENTO DE IMAGENS Julia Thompson
PROJETO GRÁFICO DO MIOLO Alles Blau
EDITORAÇÃO ELETRÔNICA Página Viva

Dados Internacionais de Catalogação na Publicação (CIP)
(Câmara Brasileira do Livro, SP, Brasil)

Parrish, Mary E. Jones, 1892-1972
A nação precisa acordar : meu testemunho do Massacre Racial de Tulsa em 1921 / Mary E. Jones Parrish ; tradução Carlos Alberto Medeiros ; prefácio John Hope Franklin ; apresentação John Hope Franklin e Scott Ellsworth ; posfácio Anneliese M. Bruner. — São Paulo : Fósforo, 2022.

Título original: The nation must awake : my witness to the Tulsa race massacre of 1921.
ISBN: 978-65-89733-62-1

1. Afro-americanos — Violência contra — Tulsa — Oklahoma — Século 20 — História 2. Distrito de Greenwood — Tulsa — Oklahoma — Relações raciais — Século 20 — História 3. Massacre de Tulsa — Tulsa — Oklahoma — 1921 4. Parrish, Mary E. Jones, 1892-1972 I. Título.

22-108337 CDD — 305.80097073

Índice para catálogo sistemático:
1. Afro-americanos : Massacre de Tulsa : Oklahoma : Racismo : Sociologia 305.80097073

Cibele Maria Dias — Bibliotecária — CRB-8/9427

Editora Fósforo
Rua 24 de Maio, 270/276, 10º andar, salas 1 e 2 — República
01041-001 — São Paulo, SP, Brasil — Tel: (11) 3224.2055
contato@fosforoeditora.com.br / www.fosforoeditora.com.br

Este livro foi composto em GT Alpina e
GT Flexa e impresso pela Ipsis em papel
Pólen Soft 80 g/m² da Suzano para
a Editora Fósforo em maio de 2022.